Éditions Usborne

LE GRAND LIVRE DES CACHE-CACHE

Jane Bingham, Rosie Heywood
et Kamini Khanduri

Illustrations : Dominic Groebner, David Hancock,
Inklink Firenze et Studio Gallante

Traduction : Véronique Dreyfus, Jean-Noël Chatain
et Muriel de Grey

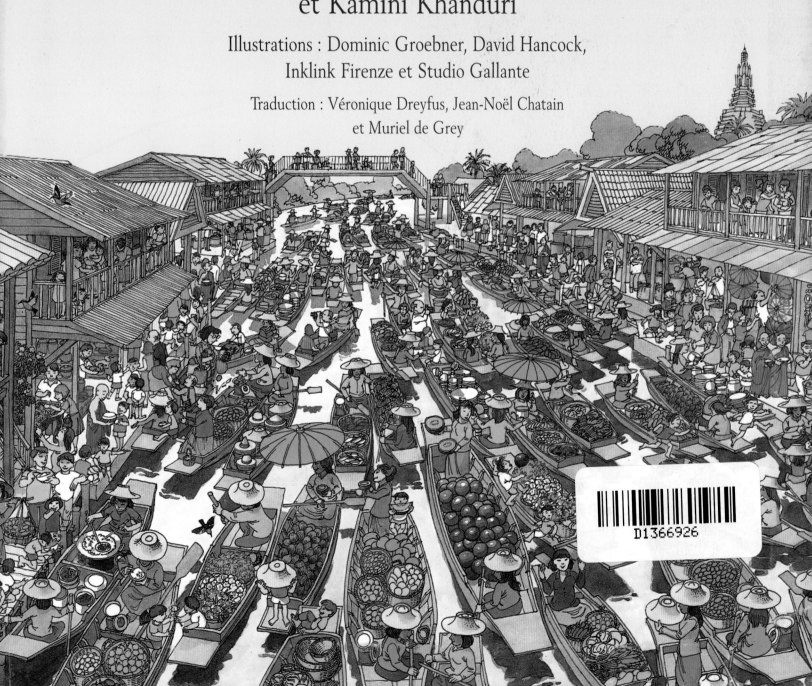

Sommaire

CACHE-CACHE
A TRAVERS
L'HISTOIRE

Illustrations : David Hancock

Dans la ville des pages 34 et 35, certains pauvres vivaient dans une maison de travail.

Dans les prairies d'Amérique du Nord, pages 36 et 37, on se déplaçait souvent en chariot.

Au grand magasin, pages 38 et 39, on vendait des cuisinières électriques.

Regarde aux pages 32 et 33, pour voir les belles toilettes d'un bal français.

Ce portrait d'une famille hollandaise figure aux pages 30 et 31.

L'empereur indien des pages 28 et 29 siégeait sur ce trône magnifique.

À la fête chinoise des pages 26 et 27, les jardins sont éclairés par des lampions.

Sommaire

Les Incas des pages 24 et 25 jouaient de toutes sortes d'instruments de musique.

Les bouffons vivaient dans les châteaux forts du Moyen Âge, que tu trouveras aux pages 22 et 23.

Regarde pages 20 et 21, tu verras un ours savant à la foire du village.

Au sujet des jeux

Les premiers hommes décoraient les parois des grottes où ils vivaient. Va voir les pages 4 et 5.

Cette partie du livre te fait découvrir toutes sortes de choses intéressantes sur différents peuples et lieux d'autrefois. Mais ce livre n'est pas qu'un livre d'histoire : c'est aussi un livre-jeu. On t'explique ci-dessous comment jouer.

Les cultivateurs des pages 6 et 7 se servaient d'outils comme cette faucille.

Cette bande donne la date. Av. J.-C. signifie avant la naissance de Jésus et apr. J.-C., après.

L'image principale est entourée de nombreux dessins plus petits, comme ceux-ci.

Ce qui est écrit à côté des petits dessins te dit combien d'autres choses semblables chercher dans l'image principale.

Le chariot qui est au loin compte aussi.

Dans la ville mésopotamienne des pages 8 et 9, on écrivait sur des tablettes en argile.

Une partie de ce mur a été découpée pour que tu puisses voir à l'intérieur.

L'extrémité de cette arme à feu compte comme une arme entière.

Le cow-boy qui sort de l'image principale compte également comme l'un des petits dessins.

Au lieu d'essayer de chercher la presse d'imprimerie, il faut trouver où on l'utilise.

Va voir aux pages 10 et 11 comment les Égyptiens construisaient les pyramides.

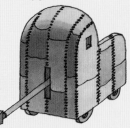

Au combat, les Assyriens utilisaient les engins de siège des pages 12 et 13.

Le jeu consiste à retrouver des personnes, des objets et des animaux cachés dans la grande scène illustrée. Certains se voient facilement, d'autres sont tout petits ou se cachent derrière autre chose. Quand le dessin est en deux parties (pages 4-5 et 12-13), il faut chercher dans les deux. Tu trouveras les réponses aux pages 40 à 45.

Découvre ce que les Vikings accrochaient au mur aux pages 18 et 19.

Regarde pages 16 et 17 pourquoi les Romains emportaient des flacons d'huile aux bains.

Au marché grec des pages 14 et 15, on payait avec des pièces comme celle-ci.

Les premiers hommes

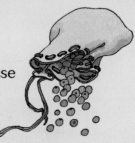

On tuait les animaux à l'arc. Cherche un garçon qui vient de tuer un oiseau.

Les vieux racontaient de passionnantes histoires aux enfants. Cherche deux conteurs.

On suspendait les poissons sur un cadre en bois pour les faire sécher. Trouves-en vingt.

Les haches étaient faites d'une pierre sur un manche en bois. Il y en a deux.

Pour déterrer les racines, on se servait de bâtons comme celui-ci. Cherches-en trois.

On tressait des paniers en jonc. Trouves-en neuf.

On faisait les outils à partir de pierres appelées silex. Cherche quatre autres personnes qui taillent des silex.

Les premiers hommes se déplaçaient avec les saisons. Pour se nourrir, ils cueillaient des plantes et chassaient. Le dessin de gauche représente quelques premiers hommes qui vivaient en Europe et passent l'hiver dans une grotte. Le dessin de droite les représente en été.

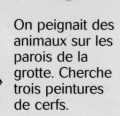

On peignait des animaux sur les parois de la grotte. Cherche trois peintures de cerfs.

Pour s'éclairer, on faisait brûler de la fourrure imbibée de graisse animale. Trouve cinq lampes.

Les femmes cueillaient les baies dans des sacs en cuir. Cherche trois sacs.

4

Les hommes chassaient les animaux sauvages. Trouve sept cerfs.

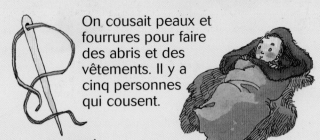

On cousait peaux et fourrures pour faire des abris et des vêtements. Il y a cinq personnes qui cousent.

Trouve neuf bébés bien emmitouflés comme celui-ci.

Pour nettoyer les peaux, on les raclait. Cherches-en quatre.

Trouve trois personnes préparant de la peinture avec des roches friables et de la graisse animale.

On mettait les peaux à sécher sur des cadres en bois. Cherches-en cinq.

Bois de cerf

Pour certains outils, on se servait de bois de cerf. Vois-tu quatre personnes qui en taillent ?

Les colliers étaient faits de coquillages, de pierres, de dents et d'os. Trouves-en douze.

On portait de la fourrure en hiver et des peaux en été. Cherche un enfant qu'on habille.

On chassait avec des javelots en bois munis d'une pointe en silex acéré. Cherches-en onze.

On faisait rôtir la viande sur le feu. Trouve six personnes qui préparent à manger.

5

On faisait cuire des pains plats dans des fours en argile. Vois-tu huit fours ?

Pour construire, on utilisait des échelles en bois. En vois-tu trois ?

Les femmes allaient chercher de l'eau au ruisseau. Trouve sept femmes qui portent un pot d'eau sur la tête.

Cherche trois pots pour la cuisine.

On pêchait dans le ruisseau. Quatre personnes pêchent au filet.

Pour faire des pots, on enroulait des rouleaux d'argile. Cherche deux personnes qui font des pots.

Les premiers cultivateurs

L'agriculture est née quand les hommes ont appris à planter des graines et à faire pousser des cultures. Ils ont également apprivoisé certains animaux. Ils ont alors pu s'installer à un endroit, au lieu de se déplacer. Le dessin sur ces deux pages représente un village du Moyen-Orient.

À la moisson, on faisait la récolte en se servant de faucilles. Cherche cinq faucilles.

Les hommes chassaient les animaux sauvages. Trouves-en deux qui reviennent de la chasse.

Les femmes filaient la laine sur un fuseau. Cherche trois fuseaux.

Le chef faisait des offrandes à la déesse du village. Trouve sa statue sur l'image.

6

Les toits de chaume prenaient facilement feu. Repère un toit qui brûle.

Le grain récolté était mis dans de grands paniers. Cherche sept paniers.

Trouve deux hommes qui réparent le mur en brique crue du village.

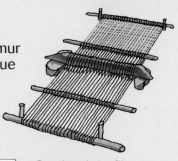

On tissait le fil sur un cadre en bois appelé un métier à tisser. Cherches-en trois.

On élevait des moutons pour la laine, le lait et la viande. Trouves-en vingt.

On élevait des chèvres pour le lait, la peau et la viande. Trouves-en quatre.

On élevait des porcs pour la viande. Trouve six porcs et six porcelets.

On élevait des vaches pour le lait, la peau et la viande. Trouves-en seize.

On élevait des oies pour les plumes, les œufs et la viande. En vois-tu onze ?

Les enfants aidaient à garder les troupeaux. Cherches-en quatre munis d'un bâton.

Trouve quatre femmes qui moulent le grain en farine avec une pierre.

Les chasseurs et les bergers se faisaient aider par des chiens. Trouves-en huit.

Les enfants chassaient les oiseaux des récoltes. Cherche quatre enfants.

Dans les villes

Les meubles étaient en bois. Vois-tu cinq chaises ?

Peu de gens savaient lire ou écrire. Pour cela, ils s'adressaient à des scribes. Trouve un scribe.

Les roues se composaient de trois éléments en bois. Vois-tu dix roues ?

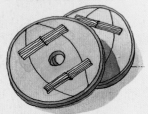
Les soldats portaient une longue cape et un casque, et ils étaient armés d'une lance. Il y en a seize.

On mettait légumes, fruits et grain dans des paniers. Trouves-en quatorze.

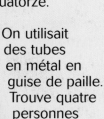
On utilisait des tubes en métal en guise de paille. Trouve quatre personnes buvant à la paille.

Les premières villes comprenaient des temples, des écoles et de nombreuses maisons. Cette ville se trouve en Mésopotamie. Le temple est situé sur une grande plate-forme en escalier appelée une ziggourat. Une procession y monte apporter des offrandes au dieu de la ville.

Les maisons avaient des toits en terrasse. Il y a quarante personnes sur les toits.

On transportait les marchandises à dos d'âne. Trouves-en quatre portant des ballots.

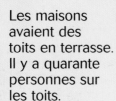
Les garçons de familles riches allaient à l'école. Les maîtres étaient sévères. Repère un écolier en retard.

Trouve quatre personnes qui jouent de la harpe.

Cherche deux jeux comme celui-ci.

On attachait sa robe à l'épaule. Trouve neuf femmes qui portent une robe bleue.

On écrivait sur des tablettes en argile. Cherche un messager qui court apporter une tablette.

Trouve trois ferronniers qui versent du métal fondu dans des moules en argile.

Le roi gouvernait la ville. Le vois-tu dans son char avec la reine ?

Les potiers faisaient leurs pots sur un tour. Il y a quatre tours de potier.

On transportait le vin dans des jarres. Trouve quelqu'un qui vient de casser une jarre.

On se servait de sceaux pour signer. On imprimait l'image gravée sur le sceau dans de l'argile molle. Cherche un sceau.

Sceau en pierre

Sceau roulé sur l'argile

Image imprimée dans l'argile

Vois-tu sur l'image un paysan qui amène des moutons pour payer le roi ?

Les pyramides

On élevait une rampe de pierraille pour atteindre le haut. Trouve quelqu'un qui dégringole de la rampe.

Le roi et les riches avaient des animaux de compagnie. Vois-tu cinq chiens ?

Gros sable

Trouve quatre personnes qui polissent des blocs avec du gros sable et un outil de pierre.

Pierre à polir

Voici l'architecte qui a dessiné la pyramide. Le vois-tu en train de consulter ses plans ?

Ceci est le panier d'instruments du docteur. Trouve le docteur.

La reine avait un petit singe. Il n'est pas toujours sage. Cherche-le.

Voici à quoi ressemble la pyramide quand elle est finie. Cherches-en deux modèles réduits.

Maillet

Les maçons se servaient de ciseaux pour aplanir les surfaces. En vois-tu six ?

Ciseau

Le roi venait inspecter les travaux. Le vois-tu dans sa chaise à porteurs ?

Les rois et reines d'Égypte étaient enterrés dans de grandes pyramides en pierre, construites de leur vivant.

Comme on ne possédait pas de machines, il fallait une vingtaine d'années pour les bâtir. Celle-ci vient d'être commencée.

Trouve huit hommes qui mettent en place un bloc avec des leviers en bois.

On tirait les blocs à plusieurs sur des traîneaux. Trouve neuf traîneaux.

Les menuisiers réparaient les traîneaux avec des marteaux. Cherche six marteaux.

On utilisait des instruments de mesure pour vérifier que chaque bloc était bien horizontal. Trouves-en cinq.

La reine aurait sa propre pyramide à côté de celle du roi. Cherche la reine.

On huilait le dessous des traîneaux pour qu'ils avancent facilement. Trouve quatre jarres d'huile.

C'est le contremaître qui était chargé de la construction. Le vois-tu agiter son bâton d'un air mécontent ?

Les paniers servaient à transporter la pierraille. Trouve un homme dont le panier est percé.

Des faucons survolaient le chantier pour chercher à manger. Il y en a sept.

Les ferronniers fabriquaient et réparaient les outils. Cherche trois scies.

Les scribes inscrivaient le nombre de blocs et d'outils utilisés. Cherche six scribes.

11

Au combat

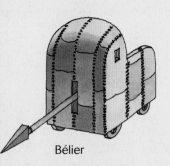

Bélier

Certains soldats attaquaient à l'épée. Trouve quinze épées.

Pour percer les murs de la ville, on utilisait des engins de siège équipés de béliers. Cherche cinq engins de siège.

Vois-tu quatre chevaux qui traversent la rivière à la nage ?

Les archers attaquaient avec leur arc et des flèches. Cherche douze arcs.

Les soldats portaient tunique, jambières et bottes. Trouves-en quatre qui mettent leurs bottes.

Cherche cinq soldats qui portent leur butin dans un grand sac.

Les Assyriens possédaient une grande armée. Le haut du dessin représente des soldats en marche. Le bas les représente à l'attaque d'une ville. Ils pillaient les endroits qu'ils attaquaient et faisaient des prisonniers.

Les soldats faisaient beaucoup de prisonniers. Cherche sept captifs qui ont les mains liées.

Les chevaux portaient parfois des tapis de selle de couleur vive. Trouves-en quatre jaunes.

On se battait également en haut des remparts. Cherche sept personnes qui en tombent.

Les soldats volaient des animaux. Trouve sept moutons qui se font emmener.

On capturait même les enfants. Où est la mère qui réconforte son enfant en lui donnant à boire ?

Les soldats avaient des boucliers. Trouve un soldat qui a laissé tomber le sien.

On traversait la rivière en s'aidant d'une peau remplie d'air. Cherche un soldat qui a lâché la sienne.

Le roi allait au combat dans son char. Le vois-tu ?

Les soldats se servaient d'échelles en bois. En vois-tu huit ?

Les soldats attaquaient souvent à la lance. Trouves-en une cassée.

Les frondeurs lançaient de grosses pierres avec des frondes en cuir. Cherches-en sept autres.

On transportait le matériel d'une rive à l'autre dans des barques. Cherches-en quatre.

Les scribes étaient chargés de noter combien de personnes avaient été tuées ou capturées. Trouves-en deux.

Les soldats qui attaquent à cheval forment la cavalerie. Cherche deux soldats montés sur des chevaux blancs.

Au marché

Le barbier coupe les cheveux. Vois-tu un client qui n'a pas l'air content du tout ?

Cette pièce de monnaie vient d'Athènes. Chaque ville avait sa propre monnaie. Cherche quelqu'un qui laisse tomber son argent.

Il y avait des fonctionnaires qui vérifiaient le poids des marchandises. Trouve six balances.

L'huile d'olive servait à faire la cuisine et à s'éclairer. Cherche quelqu'un qui mange des olives.

Trouve quatre chiens.

Les riches faisaient les courses avec leurs esclaves. Cherche une esclave un peu trop chargée.

Cette image représente un marché affairé, à Athènes, en Grèce. La place du marché s'appelait l'agora.

Les échoppes du marché se trouvaient dans une halle appelée stoa. À l'extérieur, il y avait de nombreux éventaires.

Les soldats avaient une lance et un gros casque en bronze. Vois-tu cinq soldats ?

Seuls les riches avaient des chats, qui étaient rares. Trouves-en quatre qui se sont sauvés.

On appréciait beaucoup le poisson. Trouve quatre personnes qui viennent d'en acheter.

14

 Trouve trois enfants qui jouent au cerceau.

 Le marchand de vin faisait déguster son vin. Trouve quatre personnes qui le goûtent.

 Trouve trois personnes tenant les sandales qu'elles viennent d'acheter.

 Des sages appelés philosophes discutaient science et politique. Trouves-en deux qui se disputent.

Il y avait souvent des statues de dieux ou de personnes célèbres. Trouve deux statues.

On s'éclairait seulement à la lampe à huile. Trouve le vendeur de lampes.

Les personnes étrangères à la ville changeaient leur argent chez le banquier. Cherche-le.

Les riches achetaient des esclaves. Cherche un esclave qui essaie d'échapper à son nouveau maître.

Les gens portaient parfois des chapeaux de soleil. En vois-tu cinq ?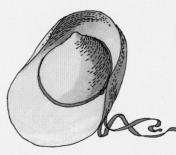

La poterie était souvent joliment décorée. Cherche cinq jarres à deux anses comme celle-ci.

Au théâtre, les acteurs portaient des masques. Trouve trois acteurs qui vont répéter.

15

Aux bains

On raclait l'huile utilisée pour se laver et la saleté du corps avec un strigile. Il y en a cinq.

Pour se détendre, on se faisait masser par un esclave. Cherche quatre personnes qui se font masser.

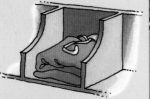

On faisait de la culture physique aux bains. Trouve cinq personnes faisant de la musculation.

Repère quelqu'un qui vole des vêtements au vestiaire.

La salle chaude s'appelait le caldarium. Le vois-tu ?

Les Romains aimaient beaucoup les statues. Vois-tu la statue de l'empereur ?

Dans les villes romaines, il y avait des bains publics avec l'eau chaude, tiède et froide. On y allait pour se laver, mais aussi pour ses affaires, pour faire de la culture physique ou simplement pour bavarder. On y passait parfois plusieurs heures, et beaucoup de gens s'y rendaient tous les jours.

Les gladiateurs étaient des lutteurs très populaires. Cherche ce gladiateur avec ses admirateurs.

Les femmes allaient à des bains séparés. Cherche cinq femmes avec leur serviette.

Dans la salle chaude, on portait des sandales pour ne pas se brûler les pieds. Cherche un homme qui a oublié les siennes.

Les appartements situés près des bains étaient bruyants. Cherche quelqu'un qui se plaint du bruit.

On se lavait avec de l'huile au lieu de savon. Cherche onze flacons d'huile.

Trouve huit soldats portant un casque.

Le sol était parfois recouvert d'une mosaïque (une image faite de petits cubes de pierre). Cherche une mosaïque.

Des serviteurs travaillaient aux bains. Cherches-en un qui porte des serviettes.

On vendait des pâtisseries et des olives. Cherche deux vendeurs avec des plateaux.

La salle froide s'appelait le frigidarium. Le vois-tu ?

Vois-tu quelqu'un qui met sa toge ? C'est un grand morceau de tissu.

Les bains publics étaient payants. Cherche un voleur qui s'enfuit avec la bourse d'un client.

Les bains publics les plus importants comportaient souvent une bibliothèque de manuscrits. Où est-elle ?

Manuscrit

On chauffait l'eau dans une chaudière. Cherche un esclave qui s'est évanoui à cause de la chaleur.

Chaudière

17

Banquets d'hiver

On tissait sur de grands métiers. En vois-tu un sur l'image ?

Les femmes attachaient leur tunique avec une broche. Cherche une femme qui attache sa broche.

Le bois était rangé dehors. Deux personnes en portent.

On se servait de cuillers et de couteaux, mais pas de fourchettes. Il y a douze cuillers.

Les femmes portaient une tunique sur la robe. Trouve une femme dont la tunique est déchirée.

Un poète appelé skald jouait de la harpe et récitait des poèmes. Trouve-le.

Les Vikings vivaient au nord de l'Europe. Ces féroces guerriers voyageaient dans de grands bateaux à voile.

Leurs villages se composaient de maisons en longueur. Ici, le chef du village donne un banquet chez lui.

Le chef avait un siège réservé à lui seul. Le vois-tu ?

On accrochait des tapisseries de laine au mur. Trouve un enfant caché derrière l'une d'elles.

On s'asseyait sur des tabourets ou sur une plate-forme, située le long du mur. Cherche quelqu'un qui tombe de son tabouret.

Quand on n'avait pas besoin de son arme, on l'accrochait souvent au mur. Cherche cinq épées.

On mettait bière, vin et hydromel (une boisson au miel) dans des cruches. Trouves-en six.

Des acrobates distrayaient les invités. Il y en a deux.

On faisait la cuisine sur un feu. Trouve quelqu'un qui remue un ragoût dans un chaudron.

Le chef avait ses serviteurs personnels. Cherche une servante qui porte une pile d'écuelles.

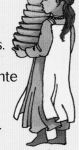

On s'éclairait avec des lampadaires à huile en métal. En vois-tu cinq ?

On buvait dans des cornes ou dans des coupes en bois. Cherche douze cornes à boire.

On accrochait les légumes et le poisson séché aux chevrons. Cherche dix poissons séchés.

On conservait les salaisons, le vin et la bière dans des tonneaux en bois. Cherches-en sept.

Les hommes avaient des chiens de chasse. En vois-tu deux se battre ?

On rangeait les vêtements et les objets précieux dans des coffres. Cherche un coffre ouvert.

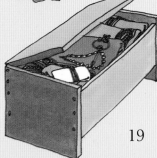

Au village

Les marchands des villes voisines venaient à la foire. Trouves-en un qui décharge son vin d'une charrette.

Houe

Les maisons avaient un jardin potager. Cherche ceux qui se servent de ces outils.

Râteau

Bêche

On plaçait les articles sur des tables. Cherches-en quatre.

Il y avait toutes sortes de distractions à la foire. Trouve un ours savant.

Pilori

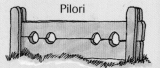

Les malfaiteurs étaient punis. Cherche une personne mise au pilori.

Au Moyen Âge, en Europe, les gens vivaient surtout dans de petits villages. Quelques habitants possédaient un lopin de terre, mais les autres n'avaient rien et travaillaient les terres du seigneur. Dans ce village anglais très animé, tout le monde s'affaire à organiser la foire d'été.

Le seigneur vivait dans une grande maison ou dans un château. Le vois-tu qui part à la chasse ?

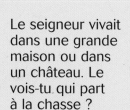

Les habitants se rendaient souvent à l'église. Cherche le prêtre qui balaie devant l'église du village.

On portait toutes sortes de bonnets. Cherche dix bonnets pointus.

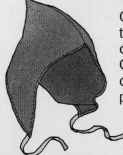

Le forgeron fabriquait les outils en métal et les réparait. Le vois-tu ?

Vois-tu trois personnes qui coupent du bois devant chez elles ?

On transformait le lait en beurre dans une baratte. Il y en a deux.

Tout le monde faisait moudre son grain au moulin. Le vois-tu ?

On élevait des abeilles pour le miel. Trouve une personne poursuivie par un essaim.

On élevait des poules pour la viande, les plumes et les œufs. Deux personnes donnent à manger à leurs poules.

Trouve le meunier qui se fait payer pour son travail.

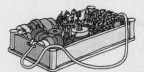

Vois-tu quelqu'un qui vend de petits objets sur un plateau ?

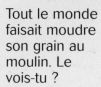

On vendait et on achetait beaucoup de choses à la foire. Cherche une pile de fromages.

Les chats faisaient la chasse aux rats et aux souris. Trouve neuf autres chats.

La plupart des gens avaient des puces et des poux. Trouve une femme qui épouille son enfant.

La vie de château

Au Moyen Âge, les rois et les seigneurs européens ont fait construire des châteaux forts. Ces châteaux avaient des murs en pierre solides qui protégeaient des ennemis, mais il y faisait souvent froid et humide. Ces pages représentent un château et ceux qui y vivaient.

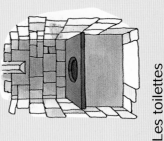

Le seigneur et sa femme dormaient dans un grand lit entouré de rideaux. Trouve leur lit.

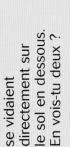

Les toilettes se vidaient directement sur le sol en dessous. En vois-tu deux ?

Les prisonniers étaient enfermés au cachot. En vois-tu un enchaîné ?

Les serviteurs avaient beaucoup à faire. Trouve un serviteur portant un plateau de coupes.

On avait suffisamment de provisions pour plusieurs mois. Cherche la réserve.

Le bouffon était chargé de faire rire les gens. Cherche-le.

Cherche vingt gardes sur les créneaux du château, qui guettent l'ennemi.

Voici le seigneur. Le vois-tu dans son bureau en train de compter son argent ?

On faisait la chasse avec des oiseaux dressés, appelés faucons. Il y en a trois.

On ne se lavait pas souvent. Cherche une personne dans son bain.

22

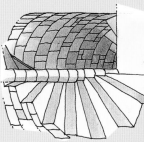

Les chevaliers s'entraînaient au combat avec de longues lances. Trouves-en quatre.

Les tapisseries protégeaient du froid. Cherche quelqu'un qui en accroche une.

Des musiciens, les ménestrels, jouent de la musique sur la tribune. Les vois-tu ?

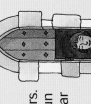

Le château avait des escaliers en colimaçon. Trouve quelqu'un qui dégringole dans l'escalier.

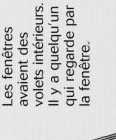

Les fenêtres avaient des volets intérieurs. Il y a quelqu'un qui regarde par la fenêtre.

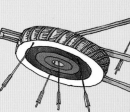
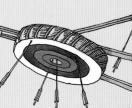

Essaie de trouver dix archers en train de s'exercer au tir à l'arc.

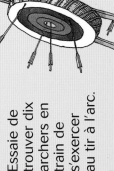

On tirait l'eau du puits dans des seaux. Cherche le puits.

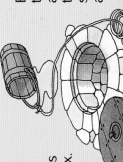
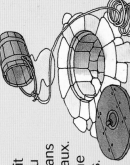
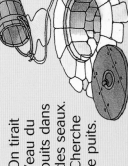

Le prêtre célébrait l'office dans la chapelle. La vois-tu ?

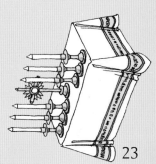

Cherche trois chevaux sortant la tête de leur stalle, à l'écurie.

Les soldats qui avaient quartier libre se reposaient au corps de garde. Trouve celui-ci.

Tout le monde avait un travail à faire. Vois-tu la personne chargée de fabriquer des chandelles ?

23

Chez les Incas

On élevait les cochons d'Inde pour la viande. Essaie d'en trouver douze sur l'image.

On construisait les bâtiments à l'aide de blocs de pierre qui s'imbriquaient parfaitement. Trouve quatre réserves.

La laine douce des alpagas servait pour les habits. Il y a huit alpagas.

Les ponts étaient en roseau. Cherches-en deux.

Les femmes portaient souvent leur bébé sur le dos. Trouve huit bébés.

Au lieu d'écrire, on stockait l'information sur des cordelettes nouées, les quipos. Il y en a quatre.

Les Incas vivaient dans les Andes, des montagnes d'Amérique du Sud. Ils ont construit des villes et des routes solides, en pierre.

Dans ce village, on faisait pousser le maïs et les pommes de terre sur des terrasses (des paliers creusés à flanc de montagne).

Les lamas servaient de bêtes de somme. Trouve un lama couché.

Des messagers, appelés chasquis, apportaient les messages en courant. Cherches-en quatre.

Avec des coquillages, on faisait des trompettes appelées pototos. Leur son se propageait loin. Il y en a un.

Les métiers à tisser avaient une sangle, que le tisserand se passait autour de la taille. Trouves-en trois.

Les sandales avaient des semelles en peau de lama. Trouve quelqu'un qui met ses sandales.

Ce grand oiseau de montagne est un condor. Cherches-en un autre.

Une femme prépare une boisson appelée chicha en crachant dans de l'eau des fruits qu'elle a mâchés.

Les pommes de terre poussaient bien en altitude. Trouve dix sacs.

Pour bêcher, on se servait de bâtons comme celui-ci. Trouves-en dix.

Les femmes faisaient la farine en moulant le maïs entre deux pierres. Il y a une femme qui moud le maïs.

Pour la cuisine, on avait toutes sortes de pots. Trouves-en un semblable à celui-ci.

Les enfants chassaient les oiseaux des récoltes en leur lançant des pierres. Trouve deux lance-pierres.

Les jours de fête, on faisait de la musique. Cherche ces trois instruments.

Flûte de pan

Tambour

Flûte

L'empereur des Incas était autoritaire. Le vois-tu qui vient inspecter le village dans sa litière ?

Litière

Une fête chinoise

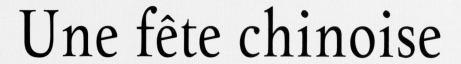

Les gens s'éventaient pour avoir moins chaud. Cherche trois éventails.

La vaisselle, les vêtements et les meubles étaient souvent décorés de dragons. Trouves-en huit.

On couvrait les sièges de draps de soie. Trouves-en quatre comme celui-ci.

On mangeait du riz à presque tous les repas. Trouve un bol de riz à moitié fini.

Encensoir

On brûlait de l'encens pour parfumer l'air. Cherche un encensoir.

Beaucoup avaient des chiens de compagnie. Trouves-en sept.

En Chine, les empereurs et les nobles vivaient dans de beaux palais comportant des jardins magnifiques. La plupart des autres habitants étaient pauvres. Ici, un riche noble, assis devant sa maison avec sa femme, donne une fête avec un feu d'artifice.

Le bois était souvent peint d'une substance brillante appelée laque. Trouve sept plateaux laqués.

Trouve le jardinier du palais et ses enfants qui regardent le feu d'artifice.

Gong

Tambour

Flûte

Les musiciens distrayaient les invités. Cherche ces instruments de musique.

Hommes et femmes portaient des robes en soie. Cherche huit robes rouges.

Les feux d'artifice ont été inventés en Chine. Cherche un serviteur qui en allume un.

On accrochait au mur des tableaux peints sur des rouleaux de soie ou de papier. Trouves-en deux.

Les fonctionnaires prenaient des notes aux événements importants. Trouve un fonctionnaire et son jeune assistant.

Les riches avaient des statues dans leur jardin. Trouve deux statues semblables à celle-ci.

On faisait le thé dans une théière et on le buvait dans de petits bols. Cherche quatre théières.

Les lampions étaient en papier et contenaient des bougies. Cherches-en dix.

Pour manger, on se servait de baguettes. Cherches-en six paires.

Pour faire leurs dévotions, les gens allaient au temple, mais ils avaient aussi des autels chez eux. Trouves-en un.

Autel

C'est en Chine qu'a été inventée la porcelaine. Cherche six jarres semblables à celle-ci.

Les paravents servaient de portes ou de décoration. Ils étaient souvent peints. Essaie d'en trouver un.

27

Une noce en Inde

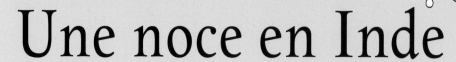

Vois-tu quelqu'un qui porte ce bijou à son turban ?

On se rendait aux fêtes à dos d'éléphant, sur un siège appelé howdah. Trouve cinq éléphants.

Le prêtre bénissait le marié et la mariée. Le vois-tu ?

Les habiles tisserands fabriquaient toutes sortes de tissus. Trouve ces objets tissés.

Tenture rouge et or

Coussin noir et blanc

Tapis bleu et vert

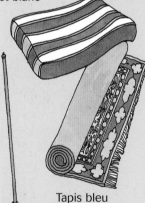

Le palais avait de beaux jardins. Cherche un jardinier avec sa bêche.

En Inde, les empereurs moghols étaient très riches. Ils vivaient dans des palais fastueux comme celui-ci.

Ici, on fête le mariage du fils de l'empereur. Les gens sont venus en foule pour regarder passer la procession.

Le trône doré de l'empereur était décoré de diamants et de rubis. Trouve-le.

On portait une sorte de robe appelée jama et un pantalon appelé piajama. Cherche un homme vêtu comme celui-ci.

Jama jaune

Piajama rayé

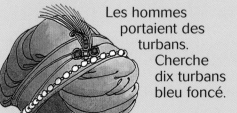

Les hommes portaient des turbans. Cherche dix turbans bleu foncé.

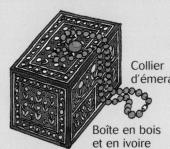
Boîte en bois
et en ivoire

Collier
d'émeraudes

Vase en
argent

Coupe en
jade pour
le vin

Les artisans
moghols
faisaient de
beaux objets.
Trouve ces
quatre objets.

Le peintre officiel
du palais peignait
un tableau des
événements
importants.
Le vois-tu ?

Les
Moghols
aimaient les
armes. Trouve
un poignard
décoré d'une
tête de cheval.

On fumait
des pipes
appelées
houkas.
Trouve un
homme
qui fume.

Cherche les
musiciens qui
jouent de ces
instruments.

Trompette
en cuivre

Tambour

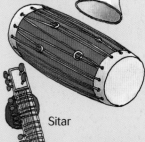

Sitar

Tambourin

Le marié et
la mariée ne
s'étaient jamais
rencontrés
auparavant.
Trouve-les.

Marié

Mariée

L'empereur
avait des
paons dans
son palais.
Cherches-
en six.

En Inde, la
plupart des gens
étaient pauvres.
Cherche ce groupe
de mendiants devant
le palais.

29

Des ports animés

Les épices, comme le gingembre et le poivre, venaient des Indes orientales. Cherche trois sacs d'épices.

Les marins se servaient d'astrolabes pour mesurer la hauteur des étoiles. En vois-tu un ?

Il y avait toujours du travail à faire, même au port. Trouve ces ouvriers.

Un monteur de cordages

Un raccommodeur de voiles

Un menuisier

Les maisons étaient hautes et étroites. Le haut s'appelle le pignon. Cherches-en un vert.

On montait les marchandises dans des réserves situées au grenier à l'aide d'un treuil. Trouves-en trois.

Au XVIIe siècle, la Hollande était très riche. De grands bateaux appartenant à des marchands parcouraient les mers pour acheter et vendre des marchandises. Voici un port hollandais animé où l'on décharge un gros bateau qui vient d'accoster au port après un long voyage.

En mer, les aliments frais s'épuisaient et les marins tombaient souvent malades ou mouraient. Cherche un marin malade.

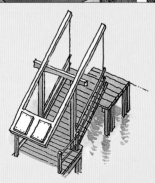

Les villes hollandaises avaient souvent des canaux. Où est le pont ouvert sur un canal ?

Les tulipes étaient rares et chères. Trouves-en quelques-unes.

Les peintres faisaient le portrait des marchands et de leur famille. Il y a un peintre.

Les bateaux avaient des canons pour les protéger des attaques. Trouves-en quatre.

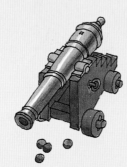

L'armateur payait l'équipage après chaque voyage. Trouve-le.

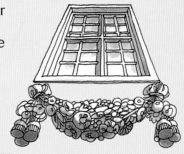

Les maisons étaient souvent décorées de guirlandes de fruits en pierre. Trouves-en six.

Durant la traversée, il arrivait que les marins se blessent. Il y en a un avec une jambe de bois.

On faisait de la musique chez soi. Trouve ce virginal.

Les riches avaient des domestiques. Cherche des domestiques qui font ces travaux.

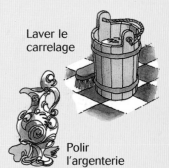

Étendre le linge

Laver le carrelage

Polir l'argenterie

Le télescope a été inventé en Hollande. Trouve un savant qui se sert d'un télescope.

Beaucoup de marchandises, tels le thé et le sucre, venaient de Chine, d'Inde ou d'Afrique. Trouve ces objets.

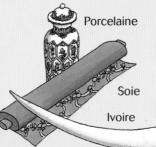

Porcelaine

Soie

Ivoire

Certains riches dirigeaient des orphelinats. Trouve deux dames qui recueillent un enfant sans abri.

31

Les hommes de l'époque portaient des perruques en poil de chèvre, en cheveux ou en crin. Un homme a perdu la sienne.

Au bal

Il y avait de nombreuses pendules partout dans le château. Trouves-en deux.

Le roi Louis XV vivait dans un château splendide, qui se trouve à Versailles, près de Paris. Il y recevait beaucoup de riches. Sur cette image, tout le monde est au bal, dans une magnifique salle appelée la Galerie des Glaces.

Hommes et femmes se maquillaient. Cherche un homme qui se regarde dans un miroir de poche.

Les souliers avaient des broderies et des boucles. Cherche ces souliers.

Les musiciens jouaient de la musique de danse. Vois-tu un clavecin ?

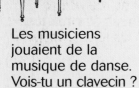

Les femmes faisaient la révérence et les hommes s'inclinaient devant le roi. Où est-il ?

Flacon de sels

La chaleur provoquait des évanouissements. Trouve la femme de chambre apportant des sels pour ranimer sa maîtresse.

Il y a dix-sept miroirs cintrés dans la Galerie des Glaces. Trouves-en cinq.

La plupart des gens connaissaient de nombreuses danses. Cherche quelqu'un qui est tombé en dansant.

Le roi avait des centaines de serviteurs. Cherche un serviteur qui verse à boire.

Les robes avaient des jupes amples. Trouve huit robes roses semblables à celle-ci.

Les hommes portaient une veste, une culotte, appelée haut-de-chausses, et des bas de soie. En vois-tu un habillé comme celui-ci ?

Les femmes portaient des décorations dans les cheveux. Trouves-en onze avec des fleurs dans les cheveux.

Les femmes portaient des mouches sur le visage. Quatre ont des mouches.

On plaçait les bougies sur des chandeliers en verre suspendus au plafond. Trouves-en quatre autres.

Le château était plein de beaux meubles coûteux. Vois-tu un canapé ?

Oranges

Saumon

Poulet

Au bal, on servait toutes sortes de mets délicieux. Trouve ces plats.

On buvait dans de jolis verres en cristal. Vois-tu quelqu'un qui renverse son vin ?

Les femmes tenaient de jolis éventails peints. Onze femmes se cachent derrière leur éventail.

Devant le roi, il fallait se comporter selon certaines règles. Cherche quelqu'un qui s'est mal conduit.

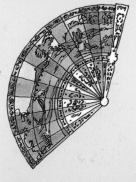

Une ville industrielle

Les enfants travaillaient dans les mines, les usines ou les rues. Il y en a un qui vend des allumettes

Plateau de boîtes d'allumettes

Les gens aisés se déplaçaient en fiacre, une voiture à cheval servant de taxi. Il y en a deux.

Des péniches transportaient les lourdes marchandises sur les canaux. Cherches-en trois.

On allait chercher l'eau à la pompe dans la rue. Cherche quelqu'un qui pompe de l'eau.

Cherche ceux qui vendent ces articles dans des charrettes ou des voitures à bras.

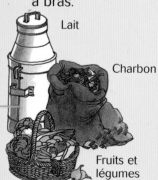

Lait

Charbon

Fruits et légumes

Voici une ville anglaise. Après l'invention de grosses machines à tisser et d'autres appareils, les gens sont venus s'installer en ville pour travailler dans les usines. Les rues étaient bruyantes, encombrées et sales.

On envoyait les pauvres dans des maisons de travail, où ils étaient traités durement. En vois-tu une ?

Les trains à vapeur transportaient les marchandises et les passagers dans tout le pays à bas prix. Il y en a un.

Le charbon étant le principal combustible, beaucoup travaillaient dans les mines. Trouve six mineurs munis de leur lampe.

Lampe de mineur

Balai de ramoneur

Les ramoneurs grimpaient dans les cheminées noires et pleines de suie. Cherche trois ramoneurs.

Barbier

Cordonnier

Tailleur

On faisait ses courses dans de petits magasins. Trouve ces magasins.

Les rues de la ville étaient éclairées au gaz. Trouve dix réverbères.

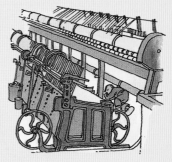

Dans les usines, la journée de travail était longue. Essaie de trouver un ouvrier qui s'est endormi.

Ceux qui savaient lire achetaient des journaux. Cherche un vendeur de journaux.

La police essayait d'empêcher les gens de commettre des crimes. Trouve six agents de police.

Cherche des gens qui font ces métiers dans la rue.

Vendeur de pâtés

Allumeur de réverbères

Vendeuse de fleurs

Certains orphelins vivaient dans la rue. Ils volaient et mendiaient. Trouve ces mendiants.

La saleté des rues et des maisons attirait les rats. Où est le chasseur de rats, qui fait sa tournée ?

Le joueur d'orgue de Barbarie distrayait les gens dans la rue. Le vois-tu ?

Orgue de barbarie

35

Une ville des Prairies

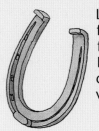

Le maréchal-ferrant fabriquait les fers à cheval. Le vois-tu ?

Le shérif faisait respecter la loi. Il portait une étoile. Trouve-le.

Ceux qui vivaient hors de la ville venaient y faire leurs courses. Cherche la personne qui achète cette lampe.

Dans la ville, il y avait seulement une école et une institutrice. Trouve l'institutrice.

La plupart des gens allaient à l'église le dimanche. Vois-tu l'église ?

Il n'y avait pas de téléphones, on envoyait les messages par télégraphe. Cherche six poteaux télégraphiques.

Depuis toujours, les plaines ou prairies d'Amérique du Nord appartenaient aux Indiens d'Amérique. Puis, des colons venus de l'Est s'en sont peu à peu emparés et ont construit des villes et des chemins de fer. Dans cette ville typique de l'époque, on se prépare pour un jour de fête.

Certains allaient plus loin vers l'ouest. Cherche une famille qui charge son chariot.

Le docteur soignait les maladies et les blessures. Essaie de le trouver.

Les trains transportaient les marchandises, le bétail et les passagers vers d'autres villes. Trouve l'endroit où le train s'arrête.

Parfois, des voleurs tentaient de voler l'argent de la banque. Il y en a deux.

La plupart des hommes avaient des armes à feu. Il y en a huit.

Pistolet

Fusil

Les hommes buvaient et jouaient aux cartes dans un bar, le saloon. Trouve le barman.

On transportait les lourds chargements par chariot. Trouve trois chariots avec bâche et trois sans.

On se distrayait en jouant de la musique. Trouve ces instruments.

Accordéon

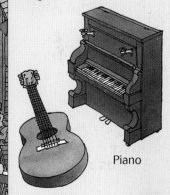

Piano

Guitare

Certains Indiens vivaient près de la ville dans des réserves. Trouves-en quatre.

Beaucoup travaillaient aux chemins de fer. Trouve cinq hommes qui posent une nouvelle voie.

Les cow-boys conduisaient le bétail à la ville. Cherche huit autres cow-boys.

Les plus riches possédaient des voitures appelées bogheis. En vois-tu deux sur l'image ?

Le journal local était imprimé une fois par semaine. Cherche les bureaux du journal.

Presse d'imprimerie

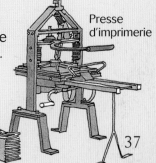

Les grands magasins

Quand les premiers grands magasins se sont ouverts, on a pu acheter toutes sortes de choses au même endroit. Celui-ci est en Angleterre.

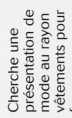

Les livres brochés ne coûtaient pas cher. Cherche quelqu'un qui achète ce livre.

Cherche une présentation de mode au rayon vêtements pour femmes.

On vendait toutes sortes de jouets au rayon jouets. Cherche six de chacun de ces jouets.

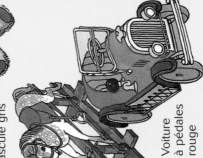

Nounours

Cheval à bascule gris

Voiture à pédales rouge

Vois-tu le rayon des vêtements pour bébés ?

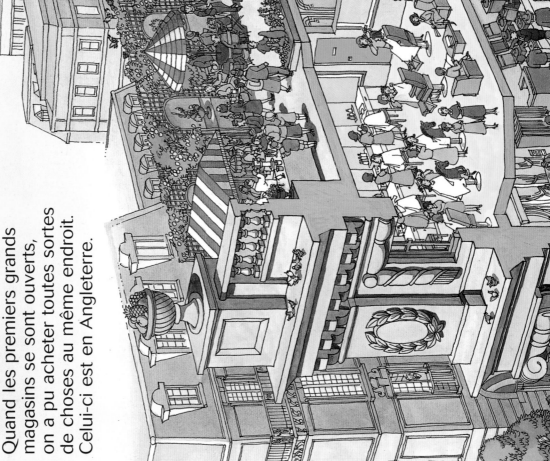

On écoutait les disques sur un phonographe. Cherche une personne qui en achète un.

Le grand magasin avait sa propre boîte aux lettres. Trouve-la.

Bocaux de bonbons

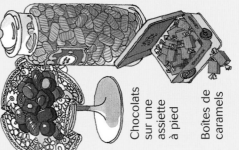

Chocolats sur une assiette à pied

Boîtes de caramels

Cherche ces objets au rayon confiserie.

Le magasin avait un salon de coiffure. Trouve trois personnes qui se font couper les cheveux.

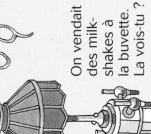

On vendait des milk-shakes à la buvette. La vois-tu ?

On pouvait se chauffer rapidement avec un radiateur électrique. Il y en a six comme celui-ci.

Les radios appelées T.S.F. étaient une nouvelle invention. Trouves-en trois comme celle-ci.

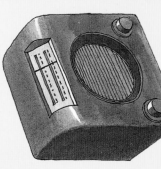

Le rayon vaisselle était plein d'objets fragiles. Essaie de trouver quelqu'un qui a cassé un vase.

On pouvait désormais acheter des appareils électriques utiles. Cherche trois de ces appareils.

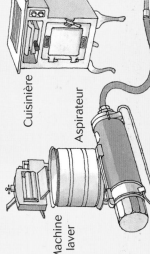

Cuisinière

Aspirateur

Machine à laver

Le magasin vendait des chaussures. Trouve deux personnes qui essaient des chaussures.

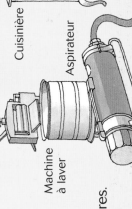

On vendait les aliments au rayon épicerie. Essaie de trouver ces articles.

Céréales

Chapelets de saucisses

Bouteilles de ketchup

Il y a aussi des téléphones dans le magasin. Trouves-en deux.

Cherche quatre employées habillées comme celle-ci.

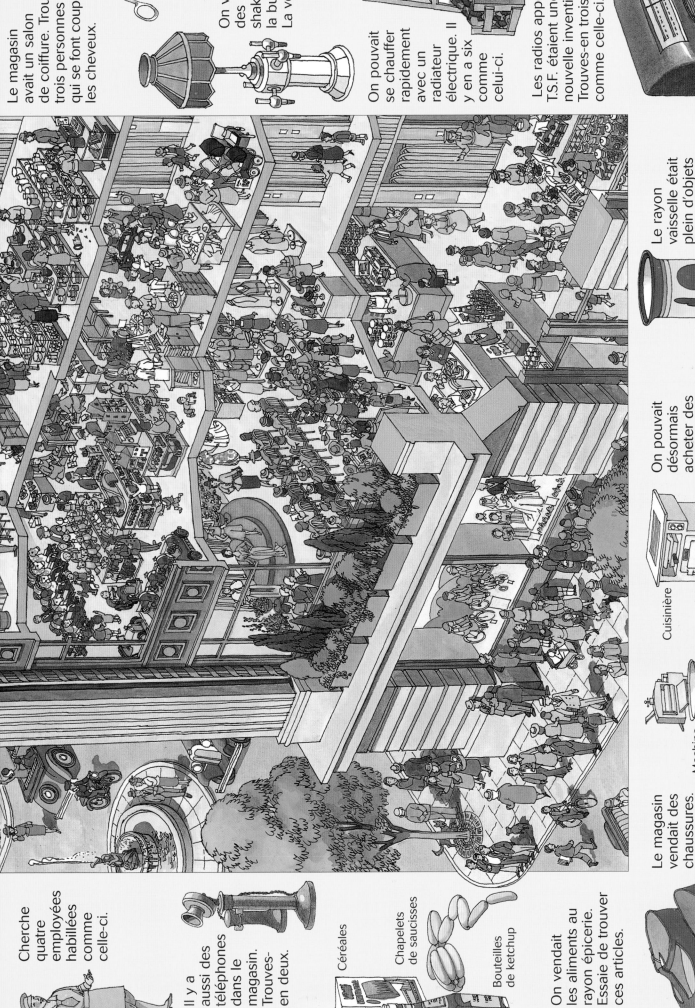

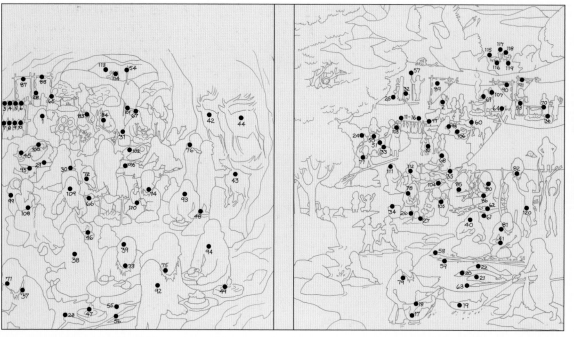

Les premiers hommes 4-5

Conteurs 1 2

Poissons 3 4 5 6 7 8 9 10 11 12 13 14 15 16 17 18 19 20 21 22

Haches 23 24

Bâtons pour creuser 25 26 27

Paniers 28 29 30 31 32 33 34 35 36

Personnes qui taillent des silex 37 38 39 40 41

Peintures de cerfs 42 43 44

Lampes 45 46 47 48 49

Sacs en cuir 50 51 52

Enfant qu'on habille 53

Javelots 54 55 56 57 58 59 60 61 62 63 64

Personnes qui préparent à manger 65 66 67 68 69 70

Colliers 71 72 73 74 75 76 77 78 79 80 81 82

Personnes qui taillent des bois de cerf 83 84 85 86

Cadres en bois 87 88 89 90 91

Personnes qui préparent de la peinture 92 93 94

Peaux raclées 95 96 97 98

Bébés 99 100 101 102 103 104 105 106 107

Personnes qui cousent 108 109 110 111 112

Cerfs 113 114 115 116 117 118 119

Garçon qui a tué un oiseau 120

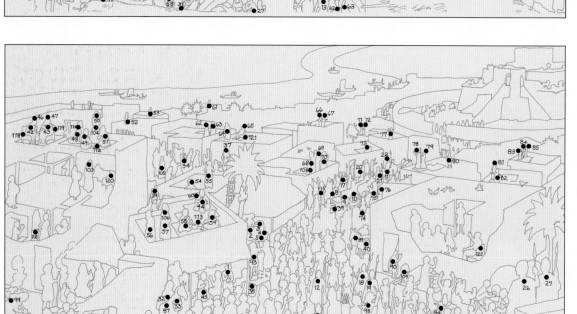

Les premiers cultivateurs 6-7

Fours 1 2 3 4 5 6 7 8

Échelles 9 10 11

Femmes qui portent de l'eau 12 13 14 15 16 17 18

Pots pour la cuisine 19 20 21

Pêcheurs 22 23 24 25

Personnes qui font des pots 26 27

Chasseurs 28 29

Fuseaux 30 31 32

Statue 33

Bergers 34 35 36 37

Femmes qui moulent le grain 38 39 40 41

Chiens 42 43 44 45 46 47 48 49

Enfants qui chassent les oiseaux 50 51 52 53

Oies 54 55 56 57 58 59 60 61 62

63 64

Vaches 65 66 67 68 69 70 71 72 73 74 75 76 77 78 79 80

Porcs 81 82 83 84 85 86

Porcelets 87 88 89 90 91 92

Chèvres 93 94 95 96

Moutons 97 98 99 100 101 102 103 104 105 106 107 108 109 110 111 112 113 114 115 116

Métiers à tisser 117 118 119

Hommes qui réparent un mur 120 121

Paniers 122 123 124 125 126 127 128

Toit en feu 129

Faucilles 130 131 132 133 134

Dans les villes 8-9

Scribe 1

Roues 2 3 4 5 6 7 8 9 10 11

Soldats 12 13 14 15 16 17 18 19 20 21 22 23 24 25 26 27

Paniers 28 29 30 31 32 33 34 35 36 37 38 39 40 41

Personnes qui boivent avec une paille 42 43 44 45

Personnes sur les toits 46 47 48 49 50 51 52 53 54 55 56 57 58 59 60 61 62 63 64 65 66 67 68 69 70 71 72 73 74 75 76 77 78 79 80 81 82 83 84 85

Ânes avec leurs ballots 86 87 88 89

Écolier en retard 90

Sceau en pierre 91

Paysan avec ses moutons 92

Personne qui a cassé une jarre 93

Tours de potier 94 95 96 97

Roi 98

Ferronniers 99 100 101

Messager 102

Femmes en bleu 103 104 105 106 107 108 109 110 111

Jeux 112 113

Joueurs de harpe 114 115 116 117

Chaises 118 119 120 121 122

40

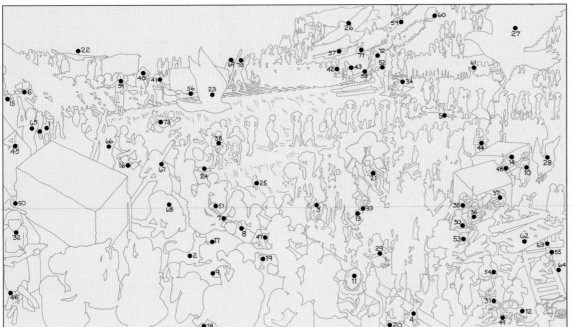

Les pyramides 10-11

Chiens 1 2 3 4 5

Personnes qui polissent des blocs 6 7 8 9

Architecte 10

Docteur 11

Singe 12

Modèles de pyramide 13 14

Ciseaux 15 16 17 18 19 20

Roi 21

Faucons 22 23 24 25 26 27 28

Scies 29 30 31

Scribes 32 33 34 35 36 37

Homme avec un panier percé 38

Contremaître 39

Jarres d'huile 40 41 42 43

Reine 44

Instruments de mesure 45 46 47 48 49

Marteaux 50 51 52 53 54 55

Traîneaux 56 57 58 59 60 61 62 63 64

Soldats qui se servent de leviers en bois 65 66 67 68 69 70 71 72

Personne qui dégringole d'une rampe 73

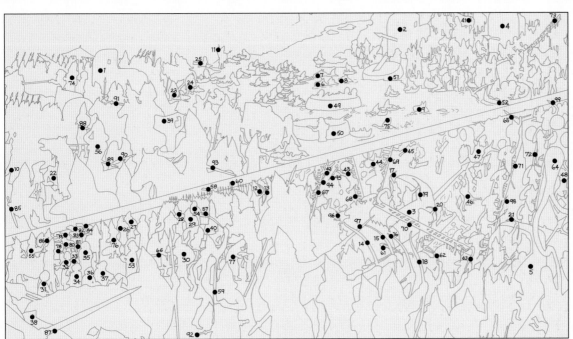

Au combat 12-13

Engins de siège 1 2 3 4 5

Chevaux qui nagent 6 7 8 9

Arcs 10 11 12 13 14 15 16 17 18 19 20 21

Soldats qui mettent leurs bottes 22 23 24 25

Soldats avec leur butin 26 27 28 29 30

Captifs 31 32 33 34 35 36 37

Tapis jaunes 38 39 40 41

Personnes qui tombent des remparts 42 43 44 45 46 47 48

Barques 49 50 51 52

Scribes 53 54

Soldats sur des chevaux blancs 55 56

Frondes 57 58 59 60 61 62 63 64

Lance cassée 65

Échelles 66 67 68 69 70 71 72 73

Roi 74

Soldat qui a lâché sa peau 75

Soldat qui a laissé tomber son bouclier 76

Mère qui donne à boire à son enfant 77

Moutons 78 79 80 81 82 83 84

Épées 85 86 87 88 89 90 91 92 93 94 95 96 97 98 99

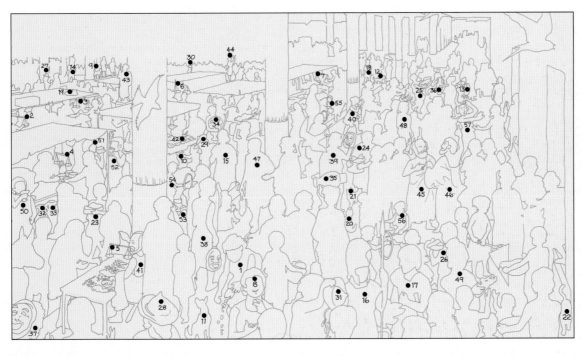

Au marché 14-15

Homme qui laisse tomber son argent 1

Balances 2 3 4 5 6 7

Personne qui mange des olives 8

Chiens 9 10 11 12

Esclave trop chargée 13

Soldats 14 15 16 17 18

Chats 19 20 21 22

Personnes qui ont acheté du poisson 23 24 25 26

Chapeaux de soleil 27 28 29 30 31

Jarres à deux anses 32 33 34 35 36

Acteurs 37 38 39

Esclave en fuite 40

Banquier 41

Vendeur de lampes 42

Statues 43 44

Philosophes 45 46

Personnes qui ont des sandales à la main 47 48 49

Personnes qui goûtent du vin 50 51 52 53

Enfants qui jouent au cerceau 54 55 56

Homme qui n'aime pas sa coupe de cheveux 57

Aux bains 16-17

Personnes qui se font masser 1 2 3 4

Personnes qui font de la musculation 5 6 7 8 9

Voleur de vêtements 10

Caldarium 11

Statue 12

Gladiateur 13

Femmes avec une serviette 14 15 16 17 18

Homme qui a oublié ses sandales 19

Voleur 20

Bibliothèque 21

Esclave évanoui 22

Personne qui met sa toge 23

Frigidarium 24

Plateaux 25 26

Serviteur qui porte des serviettes 27

Mosaïque 28

Soldats 29 30 31 32 33 34 35 36

Flacons d'huile 37 38 39 40 41 42 43 44 45 46 47

Homme qui se plaint du bruit 48

Strigiles 49 50 51 52 53

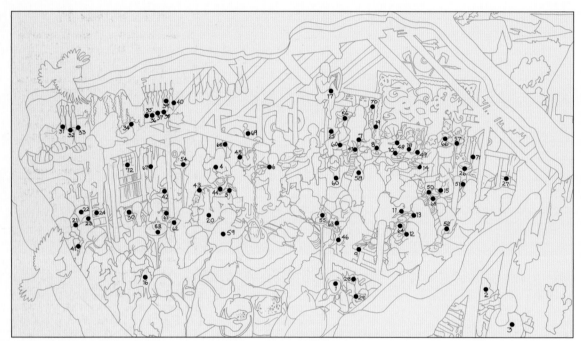

Banquets d'hiver 18-19

Femme attachant sa broche 1

Personnes qui ramassent du bois 2 3

Cuillers 4 5 6 7 8 9 10 11 12 13 14 15

Femme à la tunique déchirée 16

Poète 17

Siège du chef 18

Enfant qui se cache derrière une tapisserie 19

Personne qui tombe de son tabouret 20

Tonneaux 21 22 23 24 25 26 27

Chiens qui se battent 28 29

Coffre ouvert 30

Poisson séché 31 32 33 34 35 36 37 38 39 40

Cornes à boire 41 42 43 44 45 46 47 48 49 50 51 52

Lampadaires 53 54 55 56 57

Servante portant des écuelles 58

Personne remuant le ragoût 59

Deux acrobates 60

Cruches 61 62 63 64 65 66

Épées 67 68 69 70 71

Métier à tisser 72

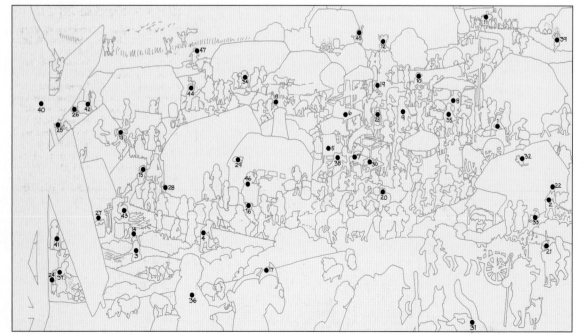

Au village 20-21

Marchand déchargeant du vin 1

Personne qui se sert d'une houe 2

Personne qui ratisse 3

Personne qui bêche 4

Tables 5 6 7 8

Ours savant 9

Personne au pilori 10

Seigneur 11

Prêtre 12

Bonnets pointus 13 14 15 16 17 18 19 20 21 22

Fromages 23

Chats 24 25 26 27 28 29 30 31 32 33

Femme qui épouille un enfant 34

Personne qui vend des objets sur un plateau 35

Meunier 36

Personnes donnant à manger aux poules 37 38

Homme poursuivi par des abeilles 39

Moulin 40

Barattes 41 42

Personnes qui coupent du bois 43 44 45

Forgeron 46

Personne qui traverse aux pierres de gué 47

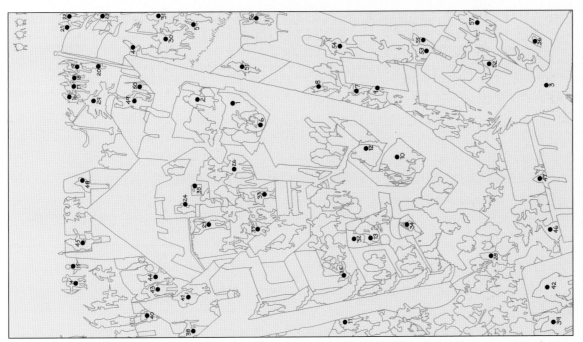

La vie de château 22-23

Lit 1
Seigneur qui compte son argent 2
Faucons 3 4 5
Personne dans son bain 6
Chevaux qui sortent la tête de leur stalle 7 8 9
Corps de garde 10
Personne qui fabrique des chandelles 11
Chapelle 12
Puits 13
Archers 14 15 16 17 18 19 20 21 22 23
Personne qui regarde par la fenêtre 24
Personne qui dégringole dans l'escalier 25
Groupe de ménestrels 26

Personne qui accroche une tapisserie 27
Chevaliers sur leur monture 28 29 30 31
Réserve 32
Serviteur portant un plateau de coupes 33
Prisonnier enchaîné 34
Toilettes 35 36
Bouffon 37
Gardes sur les créneaux 38 39 40 41 42 43 44 45 46 47 48 49 50 51 52 53 54 55 56 57

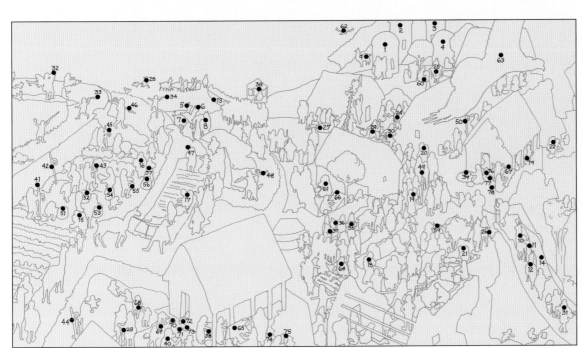

Chez les Incas 24-25

Réserves 1 2 3 4
Alpagas 5 6 7 8 9 10 11 12
Ponts 13 14
Bébés 15 16 17 18 19 20 21 22
Quipos 23 24 25 26
Lama couché 27
Chasquis 28 29 30 31
Pototo 32
Lance-pierres 33 34
Flûte de pan 35
Tambour 36
Flûte 37
Empereur 38
Pot pour la cuisine 39
Femme qui moud le maïs 40
Bâtons pour bêcher 41 42 43 44 45 46 47 48 49 50

Sacs de pommes de terre 51 52 53 54 55 56 57 58 59 60
Femme préparant la boisson de chicha 61
Condors 62 63
Personne mettant ses sandales 64
Métiers à tisser 65 66 67
Cochons d'Inde 68 69 70 71 72 73 74 75 76 77 78 79

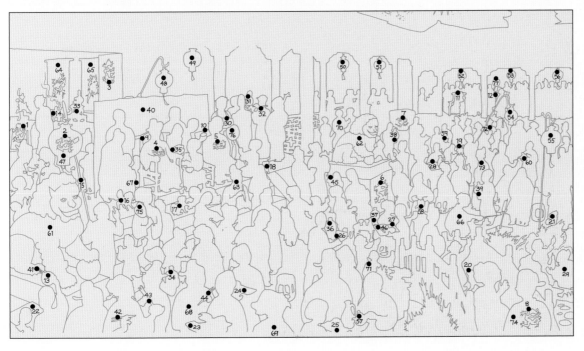

Une fête chinoise 26-27

Dessins de dragons 1 2 3 4 5 6 7 8
Draps de soie 9 10 11 12
Bol de riz à moitié fini 13
Encensoir 14
Chiens 15 16 17 18 19 20 21
Plateaux laqués 22 23 24 25 26 27 28
Jardinier avec ses enfants 29
Tambour 30
Gong 31
Flûte 32
Autel 33
Jarres 34 35 36 37 38 39
Paravent 40
Paires de baguettes 41 42 43 44 45 46

Lampions 47 48 49 50 51 52 53 54 55 56
Théières 57 58 59 60
Statues 61 62
Fonctionnaire et son jeune assistant 63
Peintures 64 65
Serviteur allumant un feu d'artifice 66
Robes rouges 67 68 69 70 71 72 73 74
Éventails 75 76 77

Une noce en Inde 28-29

Éléphants 1 2 3 4 5

Prêtre 6

Tenture rouge et or 7

Coussin noir et blanc 8

Tapis bleu et vert 9

Jardinier avec sa bêche 10

Trône 11

Homme portant un jama jaune et un piajama rayé 12

Turbans bleu foncé 13 14 15 16 17 18 19 20 21 22

Mariée 23

Marié 24

Paons 25 26 27 28 29 30

Groupe de mendiants 31

Musicien jouant du sitar 32

Musicien jouant du tambourin 33

Musicien jouant du tambour 34

Musicien jouant de la trompette en cuivre 35

Homme qui fume 36

Poignard à tête de cheval 37

Peintre officiel 38

Coupe en jade 39

Vase en argent 40

Collier d'émeraudes 41

Boîte en bois et en ivoire 42

Personne portant un bijou à son turban 43

Des ports animés 30-31

Astrolabe 1

Monteur de cordages 2

Raccommodeur de voile 3

Menuisier 4

Pignon vert 5

Treuils 6 7 8

Marin malade 9

Pont ouvert 10

Tulipes 11

Savant se servant d'un télescope 12

Ivoire 13

Soie 14

Porcelaine 15

Dames recueillant un orphelin 16

Domestique polissant l'argenterie 17

Domestique lavant par terre 18

Domestique étendant le linge 19

Virginal 20

Marin avec une jambe de bois 21

Guirlandes de fruits 22 23 24 25 26 27

Armateur 28

Canons 29 30 31 32

Peintre 33

Sacs d'épices 34 35 36

Au bal 32-33

Homme qui a perdu sa perruque 1

Homme qui se regarde dans un miroir de poche 2

Souliers roses brodés 3

Clavecin 4

Roi 5

Femme de chambre qui apporte des sels à sa maîtresse 6

Miroirs cintrés 7 8 9 10 11

Personne qui tombe en dansant 12

Personne qui renverse son vin 13

Femmes qui se cachent derrière leur éventail 14 15 16 17 18 19 20 21 22 23 24

Personne qui s'est mal tenue 25

Poulet 26

Saumon 27

Oranges 28

Canapé 29

Chandeliers 30 31 32 33 34

Femmes qui ont des mouches 35 36 37 38

Femmes qui ont des fleurs dans les cheveux 39 40 41 42 43 44 45 46 47 48 49

Homme portant une veste bleue et une culotte verte 50

Robes roses 51 52 53 54 55 56 57 58

Serviteur qui verse à boire 59

Pendules 60 61

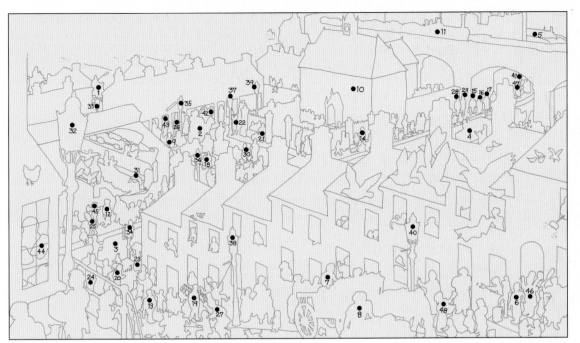

Une ville industrielle 34-35

Fiacres 1 2

Péniches 3 4 5

Personne à la pompe 6

Personne qui vend du charbon 7

Personne qui vend des fruits et des légumes 8

Personne qui vend du lait 9

Maison de travail 10

Train 11

Mineurs 12 13 14 15 16 17

Mendiants 18

Chasseur de rats 19

Joueur d'orgue de Barbarie 20

Vendeuse de fleurs 21

Allumeur de réverbères 22

Vendeur de pâtés 23

Agents de police 24 25 26 27 28 29

Vendeur de journaux 30

Ouvrier endormi 31

Réverbères 32 33 34 35 36 37 38 39 40 41

Tailleur 42

Barbier 43

Cordonnier 44

Ramoneurs 45 46 47

Enfant qui vend des allumettes 48

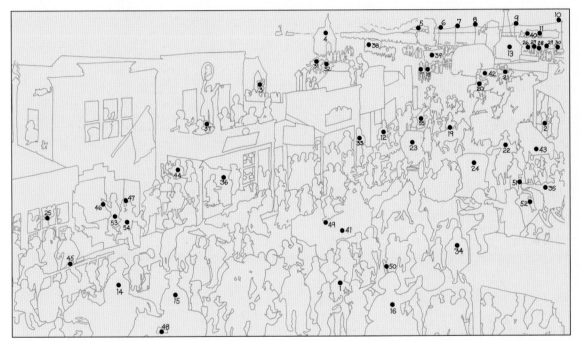

Une ville des Prairies 36-37

Shérif 1

Personne qui achète une lampe 2

Institutrice 3

Église 4

Poteaux télégraphiques 5 6 7 8 9 10

Famille chargeant son chariot 11

Docteur 12

Arrêt du train 13

Cow-boys 14 15 16 17 18 19 20 21 22

Bogheis 23 24

Bureaux du journal 25

Hommes qui posent une nouvelle voie 26 27 28 29 30

Indiens 31 32 33 34

Guitare 35

Piano 36

Accordéon 37

Chariots avec bâche 38 39 40

Chariots sans bâche 41 42 43

Barman 44

Armes à feu 45 46 47 48 49 50 51 52

Voleurs 53 54

Maréchal-ferrant 55

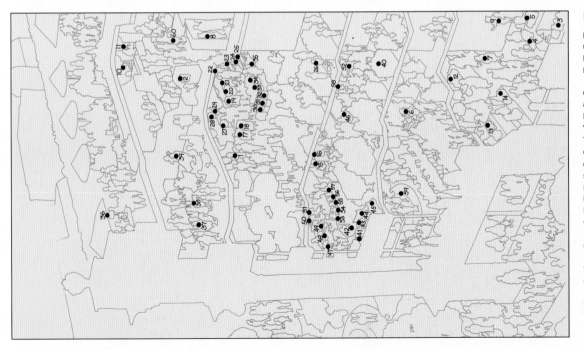

Les grands magasins 38-39

Personne qui achète un phonographe 1

Boîte aux lettres 2

Bocaux de bonbons 3

Chocolats sur une assiette à pied 4

Boîtes de caramels 5

Vendeuses 6 7 8 9

Téléphones 10 11

Céréales 12

Chapelets de saucisses 13

Bouteilles de ketchup 14

Personnes essayant des chaussures 15 16

Machines à laver 17 18 19

Cuisinières 20 21 22

Aspirateurs 23 24 25

Personne qui a cassé un vase 26

T.S.F carrées marron 27 28 29

Radiateurs électriques roses 30 31 32 33 34 35

Buvette 36

Personnes qui se font couper les cheveux 37 38 39

Rayon des vêtements pour bébés 40

Voitures à pédales rouges 41 42 43 44 45 46

Chevaux à bascule gris 47 48 49 50 51 52

Nounours 53 54 55 56 57 58

Présentation de mode 59

Personne achetant un livre orange 60

Que font-ils ?

Tous ces personnages figurent dans les petits dessins des pages précédentes du livre. Pour répondre aux questions, reviens en arrière et cherche-les.

1. Qui peint un tableau ?

A B C D E F

2. De ces enfants, lequel est en retard à l'école ?

A B C D E F

3. Qui part au combat ?

A B C D E F G

4. Qui est la reine ?

A B C D E F G

5. Qui raconte une histoire ?

A B C D E F

6. Quels sont ceux qui se disputent ?

A B C D E

Réponses page 171.

Test de mémoire

De quoi te souviens-tu à propos de À travers l'histoire ? Essaie de répondre à ces questions pour le savoir. Tu trouveras les réponses page 171.

Les premiers cultivateurs

1. Comment les premiers cultivateurs faisaient-ils la récolte ?
   A Ils utilisaient un outil appelé faucille.
   B Ils se servaient de grands couteaux.
   C Ils utilisaient un outil appelé faux.
   D À l'aide d'une moissonneuse-batteuse.

2 . Comment moulaient-ils le grain en farine ?
   A À l'aide d'un moulin à vent.
   B Ils sautaient dessus.
   C Ils utilisaient un moulin à eau.
   D Ils se servaient de deux pierres.

Dans les villes

3. Qu'est-ce qu'une ziggourat ?
   A Une sorte d'âne.
   B Un jeu de société.
   C Une grande plate-forme en escalier.
   D Une attache pour vêtements.

4. Que faisait un scribe ?
   A Il chantait aux funérailles.
   B Il enseignait aux enfants.
   C Il tressait des paniers.
   D Il écrivait et lisait pour les autres.

Les pyramides

5. Combien de temps fallait-il pour construire une pyramide ?
   A Environ un an.
   B Environ cinq ans.
   C Une vingtaine d'années.
   D Environ trois mois.

6. Qui dessinait les plans d'une pyramide ?
   A Un contremaître.
   B Un architecte.
   C Un maçon.
   D Un menuisier.

Au combat

7. Que formaient les soldats à cheval ?
   A La cavalerie.
   B L'armée.
   C La chevalerie.
   D L'infanterie.

8. Qu'utilisaient les soldats pour traverser une rivière ?
   A Des troncs d'arbres.
   B Leurs femmes.
   C Des peaux d'animaux remplies d'air.
   D Des bouées.

Au marché

9. Comment s'appelait la place du marché dans la Grèce antique ?
   A L'agonie.
   B L'agora.
   C L'angora.
   D L'ogre.

Aux bains

10. Que faisaient les Romains avec un strigile ?
   A Ils s'habillaient avec.
   B Ils s'asseyaient dessus.
   C Ils le mangeaient.
   D Ils raclaient avec l'huile et la saleté du corps.

11. Comment s'appelait la salle chaude dans les bains publics romains ?
   A Le sauna.
   B Le frigidarium.
   C Le caldarium.
   D La chaudière.

Banquets d'hiver

12. Comment s'appelait un poète viking ?
   A Un skald.
   B Un scout.
   C Un barde.
   D Un scalp.

13. Les femmes vikings attachaient leur tunique avec...
    A Une épingle.
    B Une broche.
    C Un bouton.
    D Un boulon.

Au village
14. Que faisait un forgeron ?
    A Il fabriquait et réparait les serrures.
    B Il moulait le grain en farine.
    C Il fabriquait et vendait des tentes.
    D Il fabriquait et réparait les outils en métal.

La vie de château
15. Que devait faire un bouffon ?
    A Des tapisseries.
    B Des pâtisseries.
    C Faire rire les gens.
    D Les lits.

Chez les Incas
16. Qu'est-ce qu'un chasquis ?
    A Un chapeau.
    B Un pont en corde.
    C Un ustensile de cuisine.
    D Un messager.

17. Qu'est-ce qu'un quipo ?
    A Un animal.
    B Une plaisanterie.
    C Un instrument de musique.
    D Une cordelette nouée.

Une fête chinoise
18. Qu'est-ce que la porcelaine ?
    A Une boisson à base de riz.
    B Un vêtement en soie de porc.
    C Une sorte de poterie.
    D Une sorte de thé.

Une noce en Inde
19. Que ferais-tu avec un sitar ?
    A Tu le mangerais.
    B Tu t'assoirais dessus.
    C Tu en jouerais.
    D Tu le mettrais sur ta tête.

20. Que faisait-on avec une jama ?
    A On la lisait.
    B On s'agenouillait dessus.
    C On la chevauchait.
    D On s'habillait avec.

Des ports animés
21. Avec quoi mesurait-on la hauteur des étoiles ?
    A Un astrolabe.
    B Un portable.
    C Un astronome.
    D Un télescope.

Au bal
22. En quoi étaient les perruques des hommes ?
    A En poil de chèvre.
    B En cheveux naturels.
    C En crin.
    D En n'importe laquelle de ces matières.

Une ville industrielle
23. Où envoyait-on les pauvres ?
    A À l'hôtel.
    B En Australie.
    C Dans une maison de travail.
    D Au lit.

Une ville des Prairies
24. L'insigne du shérif était en forme de quoi ?
    A D'étoile.
    B De lune.
    C De poire.
    D De carré.

25. Que faisaient les hommes dans un saloon ?
    A Ils se prélassaient.
    B Ils buvaient et jouaient aux cartes.
    C Ils pratiquaient leur religion.
    D Ils se faisaient couper les cheveux.

Les grands magasins
26. Qu'est-ce qu'une T.S.F. ?
    A Un des premiers ordinateurs.
    B Un téléphone.
    C Un nouveau genre de sous-vêtement.
    D Une radio.

Réponses à la page 171

CACHE-CACHE
AUTOUR DU MONDE

Illustrations : David Hancock

Sommaire

De quoi s'agit-il ?

Ta grand-tante Yvonne t'offre un merveilleux cadeau :
un billet pour faire le tour du monde. Tu visiteras
des tas d'endroits sensationnels tout en t'amusant
à chercher une foule d'objets.

Voici la grand-tante Yvonne.
Elle vient faire le
tour du monde
avec toi.

Cette carte t'indique
tous les endroits où
tu vas t'arrêter.

La grand-tante Yvonne
aimerait que tu rapportes
des cadeaux pour tes
parents et amis de
chaque endroit que tu
visites. Elle t'a donné une
liste mais ne t'a pas dit où
trouver les cadeaux. À toi
de les découvrir. Voici ce
que tu dois rapporter :

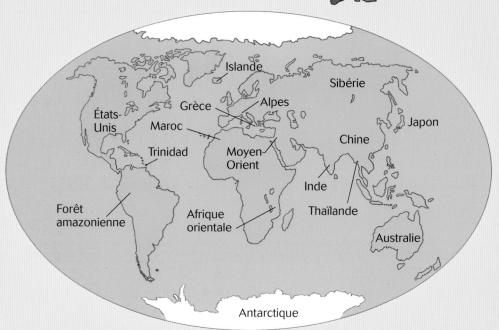

Des bananes pour la petite Anne

Une boîte de chocolats pour le grand-oncle François

Un éventail en bois pour Josiane

Du gruyère pour Zazou, la souris

Des gants rayés pour Sacha

Un ballon à pois pour Médor, le chien

Un miroir pour madame Choy

Une ombrelle peinte pour Rosie

Une statue d'argile pour le docteur Parekh

Un T-shirt pour Max

Un coussin jaune pour Minouche, le chat

Des palmes vertes pour la tante Mireille

Des sels de bain pour Jacques

Des jumelles bleues pour l'oncle Michel

Une radio pour les jumeaux

Un bonnet de fourrure pour monsieur Choy

Une guirlande de fleurs pour la grand-tante Ève

Ce que tu dois trouver

Sur chaque double page de cette partie se trouve une des étapes de ton tour du monde. Regarde bien les dessins ; on te demande à chaque fois de trouver des choses. Certaines sont faciles à repérer, d'autres plus difficiles.

Cette bande t'indique l'endroit où tu es, l'heure et le temps qu'il fait.

Pour t'aider à retrouver la grand-tante Yvonne, on te dit ce qu'elle fait.

Il faut que tu cherches tous ces petits dessins dans la grande image.

Grâce à ce pense-bête, tu n'oublieras aucun des cadeaux que tu dois rapporter. Il y en a un par endroit visité.

Le texte qui accompagne chaque petit dessin t'indique combien d'objets semblables tu dois trouver.

Même si tu ne vois qu'une partie d'un objet, il compte pour un objet entier.

Dans cet encadré, on te demande de trouver quelque chose qui te servira à la prochaine étape.

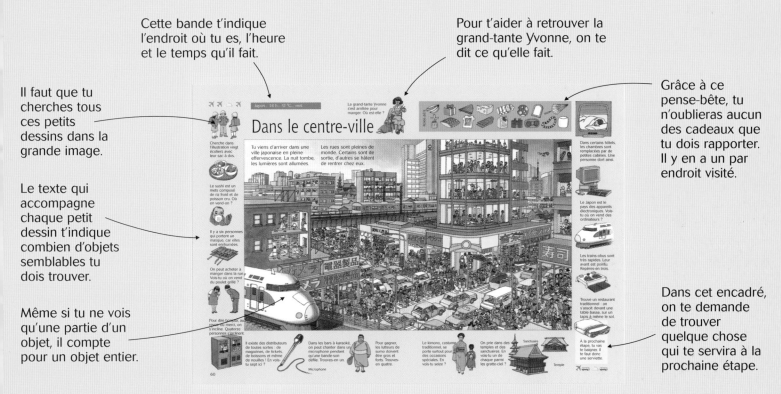

Comment jouer

Quand tu as trouvé tous les objets sur une double page, tu peux partir pour la prochaine destination... qui ne figure pas à la double page suivante. Alors, où aller et comment ? Pour le savoir, voici ce que tu dois faire.

Dans le coin droit en bas de chaque double page, tu verras quatre symboles. Ce sont tes moyens de locomotion.

Pour connaître ta prochaine destination, cherche ces mêmes symboles en haut et à gauche d'une autre double page.

Tu prendras le bateau, le train, le car ou l'avion. À chaque voyage, tu peux utiliser plusieurs fois le même moyen de locomotion ou ne pas les utiliser tous.

N'OUBLIE PAS

Sur chaque double page, tu dois trouver :
* la grand-tante Yvonne
* un cadeau à rapporter
* plein de choses cachées dans la grande image
* un objet qui te servira à la prochaine étape
* ta prochaine étape

Si tu te perds, reporte-toi à la carte de la page 88. Elle t'indique le bon chemin. Si tu n'arrives pas à trouver tous les objets qu'on te demande, regarde les réponses en pages 90-95. Maintenant tourne la page et... bon voyage !

À l'aéroport

La grand-tante Yvonne croule sous les bagages. Où est-elle ?

Les vols s'affichent sur les écrans d'information. En vois-tu onze ?

On peut faire des achats. Un homme achète des lunettes de soleil.

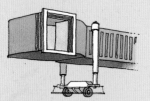

Pour embarquer, tu dois emprunter une passerelle couverte. La vois-tu sur l'illustration ?

Il y a plusieurs restaurants à l'étage. Vois-tu la personne qui mange ce plat ?

On conduit les personnes âgées ou handicapées dans une voiture. Il y en a deux.

Tu te rends d'abord à l'aéroport. C'est un endroit immense et très animé. À l'extérieur, les passagers commencent à embarquer. Tu enregistres tes bagages, passes la sécurité et montes dans l'avion. Enfin, c'est le départ !

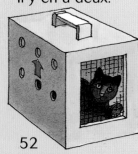

On peut faire voyager certains animaux en avion dans des cages spéciales. Trouve ce chat.

Sac que l'on fouille.

Couteau dans une valise détecté grâce aux rayons X.

Il faut vérifier que personne ne porte d'armes. Trouve ces objets et cet homme.

Passager soumis au détecteur de métal.

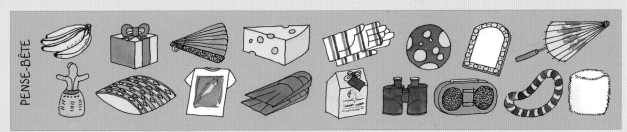

Les bagages enregistrés vont dans la soute de l'avion. Est-ce que tu la vois ?

Pour voyager en avion, il faut un billet. Cherche quelqu'un qui a déchiré le sien.

On peut mettre ses bagages sur un chariot. En vois-tu sept ?

Au bureau de change, on peut changer son argent. Le vois-tu dans l'image ?

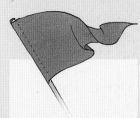

Cabine téléphonique. Il y en a huit.

Dans l'avion, les hôtesses et les stewards s'occupent des passagers. Trouves-en dix.

Dans la tour, les contrôleurs donnent des instructions aux pilotes des avions. La vois-tu ?

À la prochaine étape, il va y avoir une fête. Trouve un drapeau rouge à agiter.

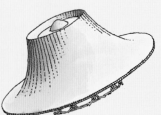

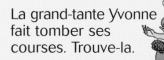
La grand-tante Yvonne fait tomber ses courses. Trouve-la.

Au marché flottant

Il te faut un chapeau de soleil en paille. Il y a deux bateaux qui en vendent.

Les fruits et les légumes sont vendus au poids. Cherche neuf balances.

Où sont les onze souïmangas ?

On peut acheter des currys tout préparés. Trouve deux bateaux dans lesquels on cuisine ce qu'on vend.

Tu te promènes le long d'un canal où se tient un marché insolite. Les marchandises se trouvent dans des bateaux.

Si tu veux acheter quelque chose, tu dois faire signe au marchand ; il pagaiera vers toi pour te vendre ses produits.

Vois-tu quelqu'un qui fait griller des épis de maïs ?

Pastèques

Ananas

On vend légumes et fruits frais. Vois-tu deux bateaux remplis de chacun de ces fruits ?

Noix de coco

Citrons verts

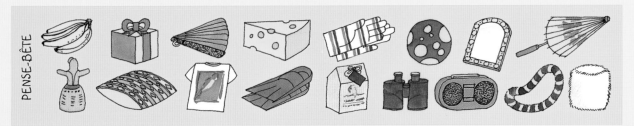

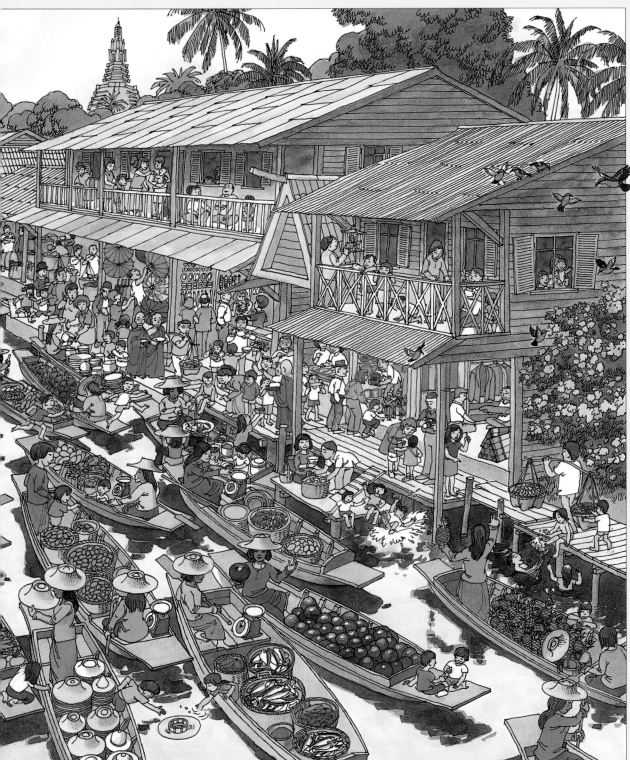

Ces poupées en costume traditionnel de danseuse thaï sont à vendre. Où sont-elles ?

Fleurs

Batterie de cuisine

Poissons

Trouve des bateaux qui vendent ces marchandises, trois pour chacune d'elles.

Temple bouddhiste

Le bouddhisme est la religion principale. Les temples bouddhistes sont donc nombreux. Cherches-en un.

Pour ta prochaine étape, il te faut une veste du soir en soie. Trouve-la.

On peut acheter de beaux objets d'artisan. Trouve les objets ci-contre.

Table en bois sculpté

Colliers en argent

Coussins brodés

Canards en bois laqué

Les bonzes sortent des temples pour demander à manger. Il y en a six.

À la plage

Les véliplanchistes manœuvrent leur planche à voile. Trouves-en dix.

Écran total

L'écran total protège la peau du soleil. Il y a quatre personnes qui s'en mettent.

Les dauphins jouent souvent près des nageurs. Cherches-en dix.

Kayak

Hors-bord

Voilier

Il y a ici toutes sortes de bateaux. Trouves-en sept de chaque type.

Cherche quatorze mouettes.

La grand-tante Yvonne est très occupée. Est-ce que tu la vois ?

Tu arrives à cette plage par une belle journée ensoleillée. Il y a foule. Tu peux aller te baigner ou pratiquer un sport nautique. Et si tu veux tout simplement te reposer, tu peux t'allonger paresseusement sur le sable chaud.

Les skieurs nautiques se font tirer sur l'eau par un hors-bord. Trouves-en huit ici.

Des équipes de sauveteurs surveillent la plage. Les vois-tu en plein exercice pratique ?

On peut plonger dans les récifs de corail et observer l'étonnante vie sous-marine. Il y a cinq plongeurs.

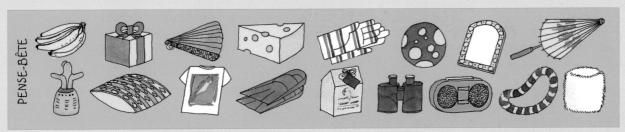

Trouve deux drapeaux signalant les zones à l'abri des requins et des courants.

Koala

Kangourou

Les kangourous et koalas vivent à l'état sauvage en Australie. Trouve une peluche pour chacun.

Trouve trente surfeurs montés sur leur planche.

Neuf personnes conduisent des jet-skis.

À la prochaine étape, il y a de drôles d'oiseaux. Trouve un appareil photo pour les photographier.

Un tuba permet de respirer quand on nage sous l'eau. Trouve dix tubas.

Tuba

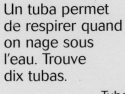

Les parachutistes ascensionnels se font tirer en parachute par un bateau. Repères-en deux.

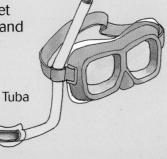

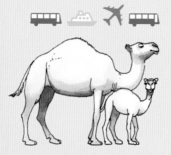

La grand-tante Yvonne retrousse ses manches. Où est-elle ?

Dans le désert

Les Bédouins prennent grand soin de leurs dromadaires. En vois-tu quarante ?

Les Bédouins mangent viande, pain, fromage et riz. Une femme fait du pain.

Les musiciens jouent souvent du rabab pour divertir les invités. Trouves-en quatre.

Les chèvres donnent viande et poil, que l'on tisse pour faire les tentes. Trouves-en trente.

Au bout d'un long voyage dans le désert sec et poussiéreux, tu rencontres des Bédouins. En général, ils vivent en petits groupes, mais aujourd'hui, ils se sont rassemblés sous les tentes pour préparer une grande fête. Il y a du monde !

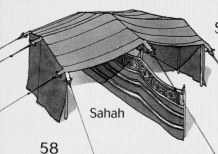

Sahah

Sous les tentes, un rideau, le sahah, sépare les femmes des hommes. Cherches-en quatre ici.

Sacs remplis d'aliments secs

Chapelets d'oignons

Les Bédouins vendent leurs animaux au marché et achètent des marchandises. Trouves-en trois de chacune ci-contre.

Pots en métal

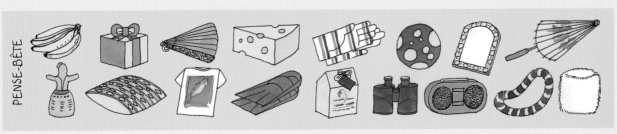

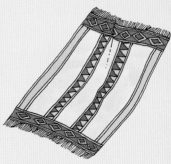

Avec les poils des dromadaires et des chèvres, les femmes tissent tapis, habits et coussins. Trouve ce tapis.

De nos jours, les Bédouins préfèrent les camionnettes aux dromadaires. En vois-tu neuf ?

Trouve dix sloughis, des chiens très rapides utilisés pour la chasse au lièvre.

On boit le lait du dromadaire, et on s'en sert pour cuisiner. Trouves-en trois bols.

À la prochaine étape, tu visiteras des temples. Trouve un livre qui t'indique où les trouver.

Les Bédouins offrent du café à tous leurs invités. Trouve tous les objets ci-contre.

Cafetière

Poêle pour griller les grains de café.

Verres à café

Mortier et pilon pour moudre les grains.

Selle de dromadaire. En vois-tu trois ?

Cherche dans l'illustration vingt écoliers avec leur sac à dos.

Le sushi est un mets composé de riz froid et de poisson cru. Où en vend-on ?

Il y a six personnes qui portent un masque, car elles sont enrhumées.

On peut acheter à manger dans la rue. Vois-tu où on vend du poulet grillé ?

Pour dire bonjour, au revoir ou merci, on s'incline. Quatorze personnes s'inclinent.

Il existe des distributeurs de toutes sortes : de magazines, de tickets, de boissons et même de nouilles ! En vois-tu sept ici ?

Japon... 18 h... 12 °C... vent

Dans le centre-ville

La grand-tante Yvonne s'est arrêtée pour manger. Où est-elle ?

Tu viens d'arriver dans une ville japonaise en pleine effervescence. La nuit tombe, les lumières sont allumées.

Les rues sont pleines de monde. Certains sont de sortie, d'autres se hâtent de rentrer chez eux.

Dans les bars à karaoké, on peut chanter dans un microphone pendant qu'une bande-son défile. Trouves-en un.

Microphone

Pour gagner, les lutteurs de sumo doivent être gros et forts. Trouves-en quatre.

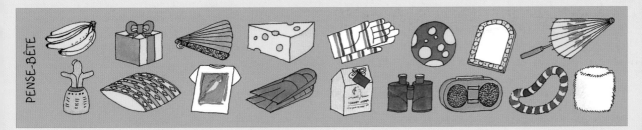

Dans certains hôtels, les chambres sont remplacées par de petites cabines. Une personne dort ainsi.

Le Japon est le pays des appareils électroniques. Vois-tu où on vend des ordinateurs ?

Les trains-obus sont très rapides. Leur avant est pointu. Repères-en trois.

Trouve un restaurant traditionnel : on s'assoit devant une table basse, sur un tapis à même le sol.

À la prochaine étape, tu vas te baigner. Il te faut donc une serviette.

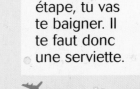

Le kimono, costume traditionnel, se porte surtout pour des occasions spéciales. En vois-tu seize ?

On prie dans des temples et des sanctuaires. En vois-tu un de chaque parmi les gratte-ciel ?

Sanctuaire

Temple

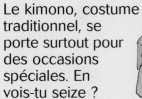

À la piscine

La grand-tante Yvonne est en train de lire. Où est-elle ?

Une multitude d'oiseaux viennent nicher sur la côte. Trouve vingt eiders.

Jouet en forme de requin

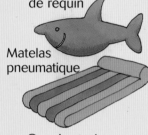

Matelas pneumatique

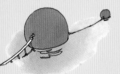

On vient s'amuser et se détendre dans l'eau chaude. Trouve sept de chacun de ces objets.

Les bouées signalent là où l'eau est trop chaude ou pas assez profonde pour nager. Trouve vingt bouées.

Une centrale électrique utilise la vapeur produite par l'eau chaude. Il y a cinq cheminées qui rejettent de la vapeur. Les vois-tu ?

Tu t'amuses à barboter dans cette piscine appelée le « Lagon bleu ». L'eau chaude et salée provient de sources souterraines. Elles forment parfois des geysers, jets de vapeur ou d'eau bouillante, ou des mares boueuses pleines de grosses bulles.

Équitation

Randonnée

On peut pratiquer un grand nombre d'activités. Cherche sept cavaliers et sept randonneurs.

À la clinique du Lagon bleu, on soigne les problèmes de peau. Trouve un médecin.

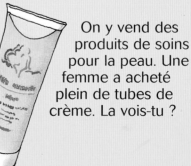

On y vend des produits de soins pour la peau. Une femme a acheté plein de tubes de crème. La vois-tu ?

62

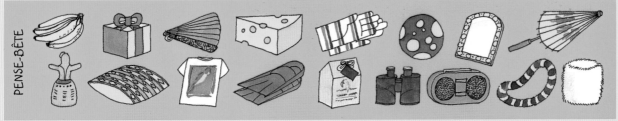

Le quatre-quatre est bien adapté à l'état des routes islandaises. Cherches-en huit.

Ces plateaux-repas offrent du requin, des crevettes ou du saumon. Trouves-en vingt et un.

Il y a aussi des vestiaires, où les baigneurs peuvent se changer. Trouve celui des femmes sur l'illustration.

On peut loger à l'hôtel du Lagon bleu. Vois-tu le client qui arrive avec ses bagages ?

Ensuite, tu voyageras en bateau. Trouve des pilules contre le mal de mer.

Des serveurs servent les baigneurs dans l'eau. Trouves-en quatre de chaque sexe.

L'eau et la boue du fond de la piscine sont censées être bonnes pour la peau. Trouve quinze personnes qui se sont enduites le visage de boue.

La grand-tante Yvonne est bien emmitouflée. Où est-elle ?

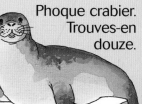

Sur la banquise

Les albatros survolent l'eau pour trouver à manger. Cherches-en trois.

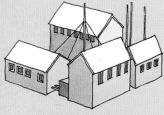

Des scientifiques faisant des travaux de recherche vivent dans cette station. Trouve-la.

Cherche quatre orques. Elles font basculer les plaques de glace occupées par les phoques.

Château

Pyramide

Temple grec

Un iceberg est un énorme morceau de glace qui flotte dans la mer. Vois-tu ces trois formes ?

Tu te trouves dans l'Antarctique, un continent froid et venteux où la terre et l'eau sont presque toujours gelées. Tu vois des baleines et photographies les manchots. Mais il ne faut ni déranger les animaux ni souiller leur habitat de glace.

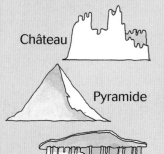

Ils « rament » avec leurs ailes.

Les manchots ne volent pas, mais ils se déplacent rapidement. Trouves-en douze qui nagent et douze qui font du toboggan.

Ils font du toboggan sur la glace.

Les chercheurs plongent dans l'eau glacée pour observer les animaux et les photographier. Trouves-en sept.

Phoque crabier. Trouves-en douze.

Les chercheurs atteignent les régions reculées grâce à de petits avions. Trouves-en trois.

Trouve une baleine à bosse.

On peut se déplacer au milieu de la glace à l'aide de canots pneumatiques. Trouves-en huit.

Les léopards de mer chassent les manchots. En vois-tu deux ?

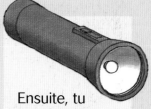

Ensuite, tu vas dans un endroit où il fait sombre. Trouve une lampe de poche.

Un navire océano-graphique transporte chercheurs et matériel, un bateau de croisières des touristes. En vois-tu un de chaque ?

Navire océano-graphique

Bateau de croisière

Les chercheurs fixent des émetteurs sur des animaux pour recueillir par satellite des informations sur leur mode de vie. Il y en a deux.

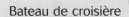 

Au carnaval

Tu arrives en plein carnaval. Des centaines de danseurs et de musiciens, regroupés par thème, défilent en cortège dans les rues. Tu t'amuses rien qu'à les regarder, mais la musique te donne envie de te joindre à eux.

PENSE-BÊTE

Les costumes coûtent très cher et il faut des mois pour les faire. Vois-tu celui-ci ?

La police surveille le cortège avec vigilance. Trouve dix policiers.

Les musiciens se déplacent en char (sorte de camion). Cherches-en trois.

La grand-tante Yvonne s'amuse bien : elle danse dans la foule. Où est-elle ?

La vie sous-marine

Le cirque

Les Incas

Les insectes

La danse espagnole

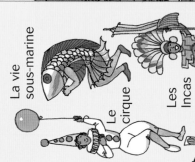

Les costumes reflètent le thème choisi par chaque groupe. Trouve les groupes dont le thème est illustré ci-dessus.

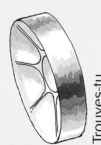

Trouves-tu dix-huit tambours métalliques ?

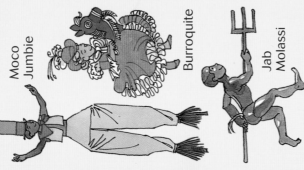

Moco Jumbie

Burroquite

Jab Molassi

Il y a toujours des personnages traditionnels. Vois-tu ces trois-là ?

Tu vas faire les magasins. Trouve une calculatrice pour additionner l'argent que tu dépenseras.

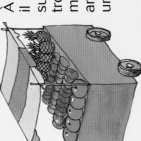

À Trinidad, il pousse de succulents fruits tropicaux, dont les mangues et les ananas. Cherche un étal de fruits.

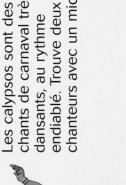

Les calypsos sont des chants de carnaval très dansants, au rythme endiablé. Trouve deux chanteurs avec un micro.

La vendeuse de noix de coco coupe le fruit pour qu'on puisse en boire le jus et manger sa chair blanche et sucrée. Trouve-la.

Sorbets aux fruits

Épi de maïs

Rotis (petits pains)

On vend de tout dans la rue. Vois-tu où l'on peut acheter ces trois choses ?

Des juges élisent le groupe avec les plus beaux costumes et la meilleure musique. Vois-tu quelqu'un qui joue au juge ?

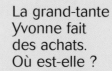

La grand-tante Yvonne fait des achats. Où est-elle ?

Au souk

Les herbes et les épices colorées, comme le safran et la menthe, sentent bon. Vois-tu où on les vend ici ?

Luth

Tambourin

Tu entends de la musique. Trouve ces deux instruments.

La laine qui sert à fabriquer les tapis est teinte puis mise à sécher. Trois hommes portent des ballots de laine.

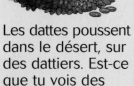

Les dattes poussent dans le désert, sur des dattiers. Est-ce que tu vois des étals de dattes ?

Tu te trouves à présent au milieu d'un marché marocain très animé, le souk. Tu flânes le long des rues sombres et découvres des odeurs, des bruits et des objets inconnus. Il y a mille choses intéressantes à regarder... et à acheter !

Poteries peintes

Plateaux de cuivre

Paniers tressés

Toques brodées

Pantoufles de cuir, les babouches

On peut acheter des objets artisanaux magnifiques et parfois les voir fabriquer. Où sont vendus les objets ci-contre ?

L'équitation est pratiquée au Maroc depuis bien longtemps. Trouve deux selles à vendre.

68

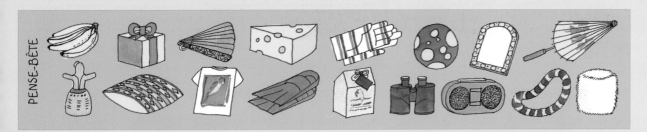

PENSE-BÊTE

Les porteurs d'eau proposent aux passants de se désaltérer. En vois-tu quatre ?

On vend des animaux vivants. Il y a neuf poules.

On discute le prix des objets. Deux personnes sont en train de marchander ce beau tapis.

Vois-tu où l'on vend des olives dans d'énormes paniers ?

À la prochaine étape, le soleil tape dur. Trouve-toi donc un grand chapeau de paille.

Parfois, le vendeur offre à l'acheteur un verre de thé à la menthe très chaud. Trouves-en sept sur l'illustration.

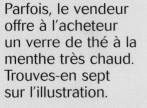

Pour se maquiller, les femmes achètent des fards en poudre, qu'elles rangent dans des flacons en bois de cèdre. En vois-tu douze ici ?

Flacon en bois de cèdre

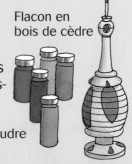

Fards en poudre

La grand-tante Yvonne a fait des achats. Où est-elle ?

Au centre commercial

Pour se reposer, il y a de nombreux bancs. Essaie d'en trouver huit.

Au bureau d'accueil, on aide les gens à trouver ce qu'ils cherchent. Le vois-tu ?

Le centre est si grand qu'on se perd facilement. Cherche un enfant sans sa maman.

On peut se faire couper les cheveux au salon de coiffure. Le vois-tu ?

Dans ce grand centre commercial plein de monde, on peut tout acheter sans mettre le nez dehors. On peut aussi prendre un verre ou se restaurer. Souvent, les gens n'y viennent que pour discuter entre amis.

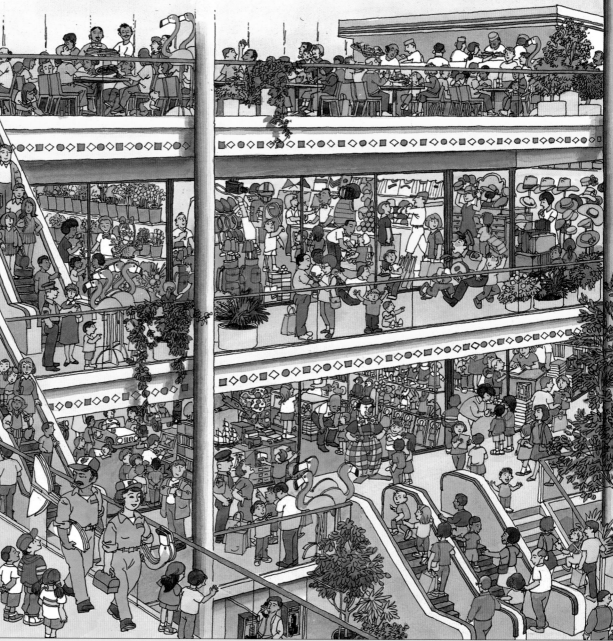

Cerfs-volants

Livres

Chapeaux de cow-boy

Fleurs

Jeans

Chaussures

Équipement de sport

Trouve où l'on vend toutes ces choses.

Gâteaux

Vois-tu les quatre danseuses en plein spectacle ?

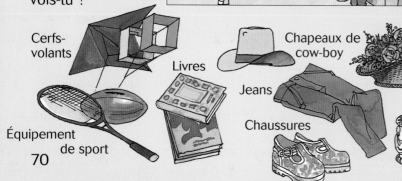

Les murs sont joliment décorés de peintures, ou fresques. En vois-tu une ?

Pour aller d'un étage à l'autre, on peut emprunter un ascenseur vitré. Le vois-tu ?

Trouve cinq téléphones.

Des gardiens veillent à la sécurité dans le centre. Trouves-en dix.

On peut acheter toutes sortes de choses à manger. Vois-tu où l'on vend celles-ci ?

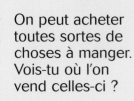

Glace

Spaghetti

Pizza

Fontaines, plantes vertes et statues recréent un décor d'extérieur. Il y a vingt-quatre statues de flamants roses.

À la prochaine étape, tu vas à l'hôtel. Trouve une valise neuve pour y mettre toutes tes affaires.

Au ski

La grand-tante Yvonne ne skie pas très bien. Où est-elle ?

Trouve cinq motoneiges, petits véhicules sur skis.

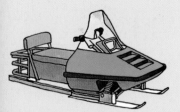

Les lunettes de ski protègent du soleil. Vois-tu quelqu'un qui a cassé les siennes ?

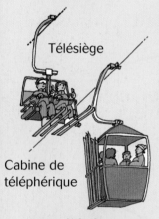

Télésiège

Cabine de téléphérique

Les télésièges et les téléphériques emmènent en haut des pentes raides. Trouves-en quatre de chaque.

On peut faire une promenade en traîneau tiré par un cheval. Il y en a trois.

Cette station de sports d'hiver bondée est l'un des endroits les plus animés de ton tour du monde. À part le ski, toutes sortes d'activités de neige s'offrent à toi. Mais fais bien attention de ne pas heurter quelqu'un !

Pour les plus jeunes qui ne skient pas, il y a des jardins d'enfants. Trouve deux groupes d'enfants qui font un bonhomme de neige.

Les surfeurs utilisent une planche au lieu de skis. En vois-tu dix ?

Planche

Il est possible de louer des skis. Trouve un magasin de location de skis.

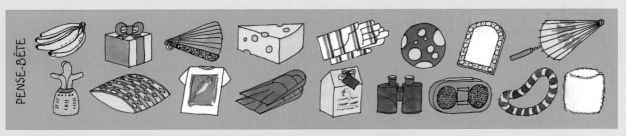

Les skieurs en parapente sautent d'un versant et planent jusqu'au sol. Il y en a trois.

Les moniteurs, des professeurs de ski, donnent des leçons. Cherches-en deux.

On peut glisser en luge sur les pentes neigeuses. Trouves-en neuf

Pour remonter les pentes douces, on prend un téléski. Trouve trois skieurs sur un téléski.

À la prochaine étape, tu vas faire toutes sortes d'achats. Ce sac te sera utile. Trouve-le.

Certains préfèrent l'escalade. Trouve trois alpinistes avec leur pic à glace.

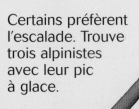

Pic à glace

Sur les lacs gelés, on peut faire du patin à glace. Cherche trente patineurs.

Des deltaplanes sillonnent le ciel. Trouves-en trois.

La grand-tante Yvonne s'apprête à prendre une photo. Où est-elle ?

En safari-photo

Quand ils repèrent un animal mort, les vautours viennent le dévorer. En vois-tu quatorze ?

Les babouins vivent en troupes. Ils s'occupent tous des petits. Trouves-en vingt-trois.

Vois-tu deux baobabs ? Ces arbres stockent de l'eau dans leur tronc.

Cinq guépards chassent. Ils s'approchent sans bruit de leur proie.

Trouve trois agames, des lézards qui se faufilent dans l'herbe ou entre les rochers.

Tu es en excursion dans les grandes plaines africaines. Il fait chaud et sec. Tu as rejoint d'autres touristes pour faire un safari-photo. Vous observez les animaux. Tu as peine à croire qu'autant d'animaux si étonnants puissent vivre au même endroit.

Montgolfière

Car

En safari, on voyage dans des véhicules différents. En vois-tu trois de chaque ici ?

Quatre-quatre

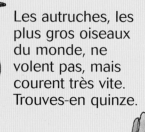

Les autruches, les plus gros oiseaux du monde, ne volent pas, mais courent très vite. Trouves-en quinze.

Les termites sont des insectes qui bâtissent de hauts nids en terre. Trouve quatre termitières.

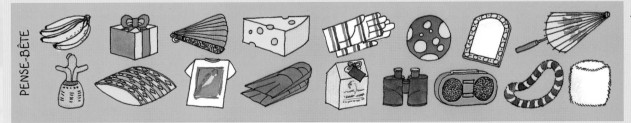

Les tisserins bâtissent des nids compliqués à l'aide de brins d'herbe. Trouves-en dix.

Les lions aiment s'allonger à l'ombre. En vois-tu neuf ?

Zèbre

Gazelle de Thomson

Gnou

Ces animaux broutent toute la journée. Trouve quinze individus de chaque.

Les chercheurs viennent ici étudier la faune. En vois-tu quatre ?

La prochaine étape est encore plus aride. Tu dois trouver une gourde d'eau.

Les lycaons chassent en groupes appelés meutes. En vois-tu neuf ?

Trouve dix-sept éléphants. Ces animaux mangent beaucoup.

Pour boire, les girafes baissent leur long cou. Essaie d'en trouver treize.

Pour le nouvel an, on se déguise et on défile dans les rues. Trouve un costume de dragon.

Cochons

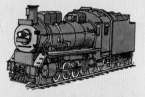

Canards

On emporte ces animaux au marché. Les vois-tu ?

En Chine, on trouve encore des trains à vapeur, mais aussi des trains modernes. Où est cette loco-motive à vapeur ?

La plupart des Chinois sont des paysans. Trouve dix paysans qui cultivent du riz dans des rizières.

La grand-tante Yvonne se fait plein d'amis. La vois-tu dans la foule ?

En ville

Voici une jolie ville, avec de beaux jardins et un canal le long duquel on peut se promener. En flânant, tu observes les habitants qui se préparent pour la fête du nouvel an. Ils font leurs achats et décorent les rues.

Le thé pousse un peu partout en Chine. C'est une boisson populaire. Cherche quelques théières à vendre.

On circule surtout à bicyclette. Essaie d'en trouver vingt.

Le fil de soie est fabriqué par une chenille, le ver à soie. On le tisse pour en faire des habits. Trouve des rouleaux de tissu en soie.

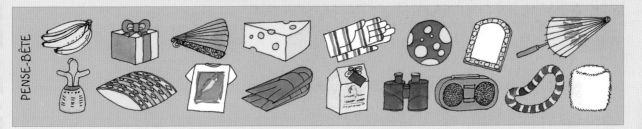

Les pandas géants, très rares, ne vivent à l'état sauvage qu'en Chine. Vois-tu celui en peluche ?

On élève parfois des oiseaux en cage. Il y en a sept.

Un groupe de personnes pratique le taï chi, une sorte de gymnastique.

On fabrique beaucoup d'objets en bambou. Vois-tu trois voitures d'enfant comme celle-ci ?

Une pagode est un genre de tour haute. En général, elle fait partie d'un temple. En vois-tu une ?

Il y a neuf personnes qui transportent des choses dans des paniers suspendus à un bâton placé en travers des épaules.

Trouve trois cerfs-volants.

À la prochaine étape, il y a de la neige. Trouve une pelle pour déblayer la route.

En forêt tropicale

La grand-tante Yvonne est assise à l'ombre. Où est-elle ?

Les Ashaninka naviguent sur l'Amazone en pirogue, et ils y pêchent. En vois-tu neuf ?

Cherche la fillette avec des graines de rocouyer. Les Indiens en font une teinture rouge, dont ils s'enduisent le visage.

Les mères portent leurs enfants en bandoulière. En vois-tu neuf ici ?

De magnifiques oiseaux peuplent la forêt. Certains sont domestiqués. Repère une fillette avec son perroquet.

Tu as remonté le fleuve Amazone en pirogue. Tu arrives au cœur de la forêt. Il fait chaud et humide. Les Indiens qui habitent ici s'appellent les Ashaninka. Ils vivent de la cueillette, de la chasse et de la culture.

L'aliment principal provient d'une plante, le manioc, dont on fait de la farine. Trouve quelqu'un qui broie du manioc avec un pilon.

Les hommes chassent avec des arcs et des flèches. Il y a onze arcs.

Les grands toits sont recouverts de feuilles de palmiers. Vois-tu quelqu'un qui répare un toit ?

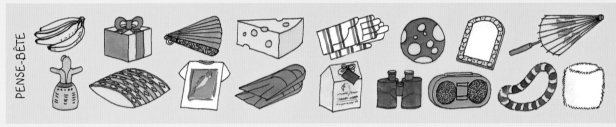

Trouve dix-huit
singes hurleurs roux.
Ils vivent en groupes
dans la forêt.

Les Indiens dorment
dans des hamacs.
En vois-tu sept ?

Avec le bois, on
fait des maisons,
des armes, des
outils, des échelles
et des pirogues.
Qui coupe du bois ?

Deux enfants
tuent des oiseaux
au lance-pierre.

Tu vas ensuite
à une grande
fête. Trouve
une guirlande
de plumes.

Les maisons sont
construites sur pilotis.
Pour entrer, il faut
monter sur une
échelle. Trouve
deux échelles.

Les Ashaninka cultivent
le coton pour fabriquer
habits, bandoulières et
hamacs. Deux personnes
pratiquent chacune des
activités ci-contre.

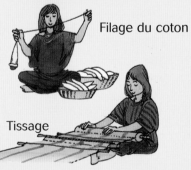

Filage du coton

Tissage

La grand-tante Yvonne est occupée à explorer l'île. Où est-elle ?

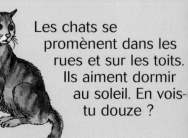

Dans les îles

Trouve huit ânes, qui transportent les marchandises.

On fabrique des copies modernes de vases antiques. Trouve six vases comme celui-ci.

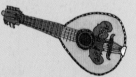

Cet instrument de musique est un bouzouki. En vois-tu huit ?

Yaourt et banane

Feuilles de vigne farcies

Salade grecque

Les restaurants servent des plats délicieux. Qui a commandé ceux-ci ?

Trouve trois églises. Leur toit est souvent en forme de dôme.

Cette jolie île forme une halte intéressante dans ton tour du monde. Tu peux flâner dans les ruelles venteuses ou monter jusqu'au château. Il y a beaucoup de monde ; certains sont des touristes, d'autres vivent là toute l'année.

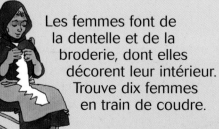

Les femmes font de la dentelle et de la broderie, dont elles décorent leur intérieur. Trouve dix femmes en train de coudre.

Sacs en cuir

Vois-tu où l'on vend ces objets ?

Colliers

Cartes postales

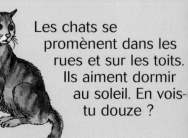

Les chats se promènent dans les rues et sur les toits. Ils aiment dormir au soleil. En vois-tu douze ?

80

PENSE-BÊTE

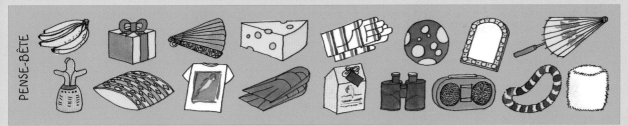

Trouve des ruines. On en apprend beaucoup sur l'histoire grecque en les visitant.

On ne peut quitter l'île qu'en bateau. Cherche cinq barques avec des rames sur l'image.

On ne voit que très rarement des phoques moines de la Méditerranée. Cherches-en deux.

Quand les volets sont fermés, les maisons restent fraîches. Trouve onze fenêtres avec des volets rouges.

À l'étape suivante, tu vas voir des animaux. Trouve un carnet et des crayons pour les dessiner.

Dans les îles, on vit de la pêche. Trouve quatre bateaux et quatre paniers comme ceux-ci.

Bateau de pêche

Paniers de poissons

Vois-tu ces artisans au travail ?

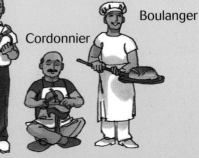

Ferblantier

Cordonnier

Boulanger

La grand-tante Yvonne est prise dans les embouteillages. Où est-elle ?

Dans les rues

Des singes, les langurs, errent dans la ville en quête de nourriture. En vois-tu vingt ici ?

Les trains sont bondés. Parfois, on voyage sur le toit. Cherche un train.

Pousse-pousse à bicyclette

Pousse-pousse à scooter

Les pousse-pousse servent de taxis. Trouves-en huit de chaque sorte.

Pour dire bonjour, on joint les mains et on incline la tête. Il y a douze paires de personnes qui se saluent.

Tu te trouves maintenant dans une ville indienne en pleine effervescence. Les rues sont embouteillées. La foule est immense. Beaucoup de gens riches vivent ici, mais d'autres sont si pauvres qu'ils doivent mendier.

Pour protéger la ville des envahisseurs, on a construit une forteresse il y a plusieurs siècles. La vois-tu ?

On fait le thé dans un grand récipient avec du lait, du sucre, et souvent des épices. Où est le vendeur de thé ?

Vois-tu seize corneilles ?

82

PENSE-BÊTE

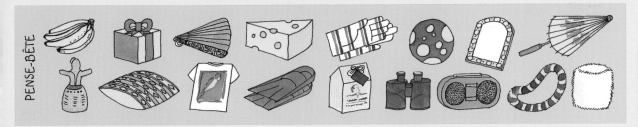

Les Indiens aiment beaucoup aller au cinéma. Cherche cette affiche.

Vois-tu où l'on vend ces délicieuses confiseries ?

Se faire raser dans la rue ne coûte pas cher. Trouve le barbier.

Le puri est une sorte de pain gonflé à la friture. Trouve un homme qui prépare des puris.

À l'étape suivante, le sol est mouillé. Tu as besoin de ces chaussures pour ne pas glisser.

Les hindous prient dans les temples et les musulmans dans les mosquées. Cherches-en un de chaque.

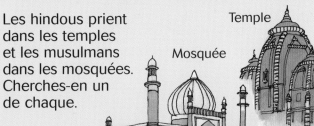

Temple

Mosquée

La plupart des Indiens sont hindous. Pour eux, les vaches sont sacrées, et elles errent à leur guise. Trouve huit vaches.

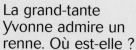

La grand-tante Yvonne admire un renne. Où est-elle ?

À la course de rennes

Les huskys sont des chiens de traîneau à épaisse fourrure. Trouves-en trente-deux.

Balalaïka

Accordéon

Pendant la course, on joue de la musique. Trouve six de chacun de ces instruments.

Trouve vingt barils de pétrole remplis avec la glace du fleuve. En fondant, elle donne de l'eau.

La gare et l'aéroport sont loin. Les gens se déplacent souvent en hélicoptère. En vois-tu deux ?

Après un long voyage, te voici dans le nord, en Sibérie. C'est la fin de l'hiver, long et froid, et pour la fêter, les habitants organisent des courses de rennes sur le fleuve gelé. Avec la peau de ces animaux, ils se font aussi des habits chauds.

Parfois, les gardiens de troupeaux suivent leurs bêtes qui cherchent à manger. Ils vivent alors dans des tentes, les chums. Il y en a trois.

Les gens peuvent patiner sur les rivières gelées. Trouve quinze patineurs sur l'illustration.

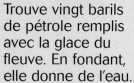

En Sibérie, il y a d'immenses forêts. On fabrique toutes sortes d'objets en bois. Trois hommes coupent du bois.

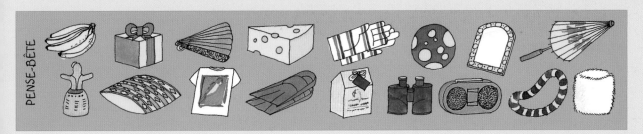

Le samovar, un récipient en métal, sert à faire le thé. En vois-tu un ?

Les gardiens de troupeaux sculptent des objets dans l'os. Vois-tu un sculpteur au travail ?

Ours, loups, élans et zibelines vivent dans les forêts. Trouve un ours en peluche.

Sur la neige, il est souvent plus facile de skier que de marcher. Vois-tu dix skieurs ?

À la prochaine étape aussi, il fait froid et il neige. Trouve des oreillettes en fourrure.

Le quatre-quatre est adapté aux sols glacés. On utilise la motoneige pour les petits trajets. Trouves-en six de chaque.

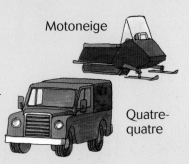

Motoneige

Quatre-quatre

Pour la course, les rennes portent des harnais de couleurs vives. Cherche une personne qui harnache un renne.

Vois-tu M. Choy qui essaie son bonnet de fourrure ?

En croisière

Minouche semble aime son coussin jaune. Essaie de la trouver.

La petite Anne grignote une banane. La vois-tu sur l'image ?

La grand-tante Ève adore sa jolie guirlande de fleurs. Où est-elle ?

L'ombrelle peinte plaît beaucoup à Rosie. La vois-tu parmi la foule ?

Pour la dernière étape de ton tour du monde, tu fais une croisière sur ce paquebot de luxe. À bord, les activités sont nombreuses. Ta grand-tante Yvonne t'a réservé une surprise : elle a invité tous tes amis et parents. Les vois-tu avec leurs cadeaux ?

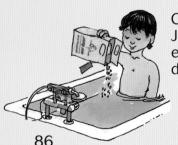

Cherche Jacques et ses sels de bain.

Josiane se sert de son éventail pour se rafraîchir. Trouve-la.

Oncle Michel observe la mer à travers ses jumelles bleues. Le vois-tu ?

Le grand-oncle François ne peut résister à ses chocolats. Où est-il donc ?

Tante Mireille s'amuse avec ses palmes vertes. Cherche bien et tu la verras.

Trouve Max : il a mis son nouveau T-shirt pour jouer avec ses amis.

Cherche le docteur Parekh qui parle à quelqu'un de sa statue d'argile.

Trouve les jumeaux, qui écoutent leur radio ensemble.

Repère Sacha avec ses gants rayés.

Zazou grignote son bout de fromage. La vois-tu ?

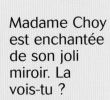

Madame Choy est enchantée de son joli miroir. La vois-tu ?

Médor joue avec son ballon à pois. Le vois-tu ?

Ton tour du monde se termine. Pour remercier ta grand-tante Yvonne, tu lui as acheté une robe à fleurs. Cherche-la.

Le tour du monde

Les numéros sur cette carte t'indiquent
l'itinéraire que tu aurais dû suivre et les
moyens de locomotion que tu aurais
dû emprunter à chaque étape.

Légende

1. Aéroport (page 52)
2. Chine (page 76)
3. Sibérie (page 84)
4. Alpes (page 72)
5. Maroc (page 68)
6. Grèce (page 80)
7. Afrique (page 74)
8. Moyen-Orient (page 58)
9. Inde (page 82)
10. Thaïlande (page 54)
11. Japon (page 60)
12. Australie (page 56)
13. Antarctique (page 64)
14. Amazonie (page 78)
15. Trinidad (page 66)
16. États-Unis (page 70)
17. Islande (page 62)
18. Paquebot de croisière
    (page 86)

88

Questions

Pour répondre à ces questions, grises en haut de chaque double tu dois revenir en arrière dans page. Les réponses se trouvent à le livre, sans oublier les bandes la page 171.

1. Quel est l'endroit le plus froid que tu as visité ?

2. Quel est l'endroit le plus chaud que tu as visité ?

3. Quelle est l'heure la plus matinale à laquelle tu t'es levé ?

4. À 15 h 30, où te trouvais-tu donc ?

5. Combien de régions froides as-tu visitées ?

6. Combien de régions chaudes as-tu visitées ?

7. Combien de fois as-tu emprunté ces moyens de locomotion ?

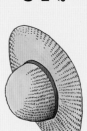

8. Lequel de ces bâtiments est un hôtel ?

A B C D E F

9. Laquelle de ces personnes sauve la vie des autres ?

A B C D E F G

10. Lequel de ces plats pourrait-on t'offrir en plein désert ?

A B C D E F

11. Laquelle de ces personnes essaie de se protéger du soleil ?

A B C D E F

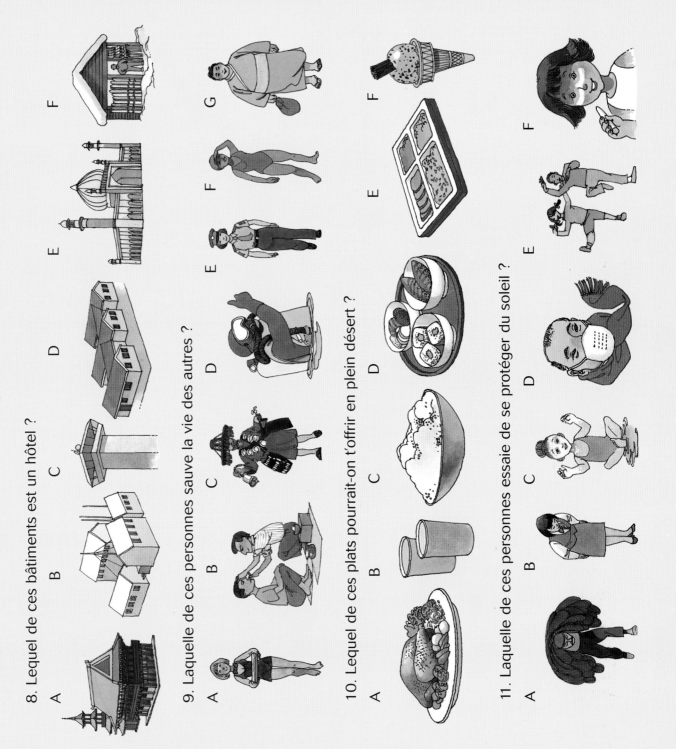

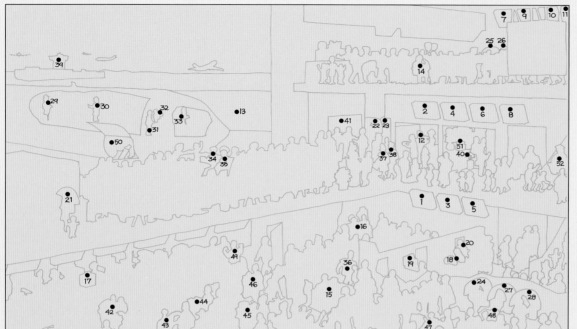

À l'aéroport 52-53

Écrans 1 2 3 4 5 6 7
8 9 10 11

Quelqu'un qui chète
des lunettes de
soleil 12

Passerelle couverte
13

Quelqu'un qui
mange 14

Petites voitures 15
16

Chat 17

Sac fouillé 18

Couteau dans la
valise 19

Passager soumis au
détecteur de métal
20

Cabines
téléphoniques 21
22 23 24 25 26
27 28

Hôtesses et stewards
29 30 31 32 33
34 35 36 37 38

Tour de contrôle 39

Drapeau rouge 40

Bureau de change
41

Chariots 42 43 44
45 46 47 48

Passager avec un
billet déchiré 49

Soute à bagages 50

Grosse boîte de
chocolats 51

Grand-tante Yvonne
52

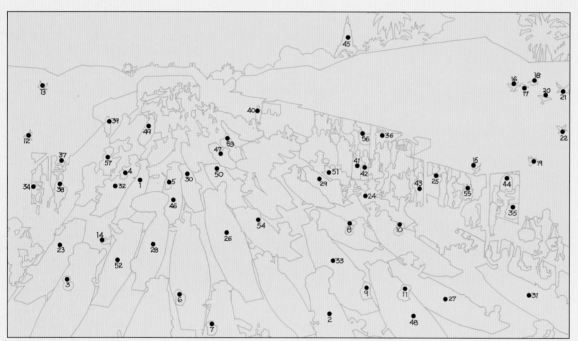

Au marché flottant 54-55

Bateaux où acheter
des chapeaux 1 2

Balances 3 4 5 6 7
8 9 10 11

Souïmangas 12 13 14
15 16 17 18 19
20 21 22

Bateaux dans
lesquels on cuisine
ce qu'on vend 23
24

Maïs qu'on fait griller
25

Bateaux remplis de
pastèques 26 27

Bateaux remplis de
noix de coco 28
29

Bateaux remplis
d'ananas 30 31

Bateaux remplis de
citrons verts 32 33

Table en bois 34

Coussins brodés 35

Colliers en argent 36

Canards en bois
laqué 37

Bonzes 38 39 40 41
42 43

Veste en soie 44

Temple bouddhiste
45

Bateaux où acheter
du poisson 46 47
48

Bateaux où acheter
des ustensiles de
cuisine 49 50 51

Bateaux où acheter
des fleurs 52 53
54

Poupées 55

Ombrelle peinte 56

Grand-tante Yvonne
57

À la plage 56-57

Planches à voile 1 2
3 4 5 6 7 8 9 10

Personnes qui se
mettent de l'écran
total 11 12 13 14

Dauphins 15 16 17
18 19 20 21 22
23 24

Kayaks 25 26 27 28
29 30 31

Hors-bord 32 33 34
35 36 37 38

Voiliers 39 40 41 42
43 44 45

Mouettes 46 47 48
49 50 51 52 53
54 55 56 57 58
59

Skieurs nautiques 60
61 62 63 64 65
66 67

Sauveteurs 68

Plongeurs 69 70 71
72 73

Tubas 74 75 76 77
78 79 80 81 82
83

Parachutistes 84 85

Appareil photo 86

Jet-skis 87 88 89 90
91 92 93 94 95

Surfeurs 96 97 98
99 100 101 102
103 104 105 106
107 108 109 110
111 112 113 114 115
116 117 118 119
120 121 122 123
124 125

Koala 126

Kangourou 127

Drapeaux 128 129

Palmes vertes 130

Grand-tante Yvonne
131

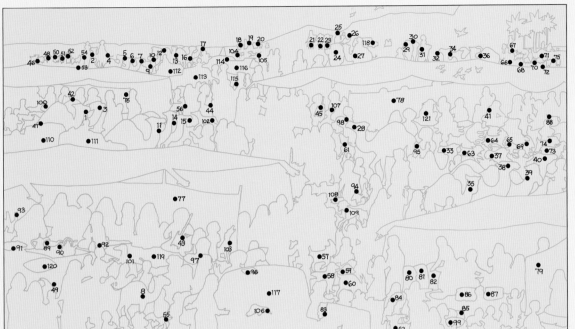

Dans le désert 58-59

Dromadaires 1 2 3 4
5 6 7 8 9 10 11
12 13 14 15 16 17
18 19 20 21 22
23 24 25 26 27
28 29 30 31 32
33 34 35 36 37
38 39 40

Femme qui fait du
pain 41

Rababs 42 43 44
45

Chèvres 46 47 48
49 50 51 52 53
54 55 56 57 58
59 60 61 62 63
64 65 66 67 68
69 70 71 72 73
74 75

Sahahs 76 77 78 79

Sacs d'aliments secs
80 81 82

Chapelets d'oignons
83 84 85

Pots en métal 86 87
88

Cafetière 89

Poêle 90

Verres à café 91

Pilon et mortier 92

Selles de dromadaire
93 94 95

Livre 96

Bols de lait de
dromadaire 97 98
99

Sloughis 100 101
102 103 104 105
106 107 108 109

Camionnettes 110
111 112 113 114 115
116 117 118

Tapis 119

Coussin jaune 120

Grand-tante Yvonne
121

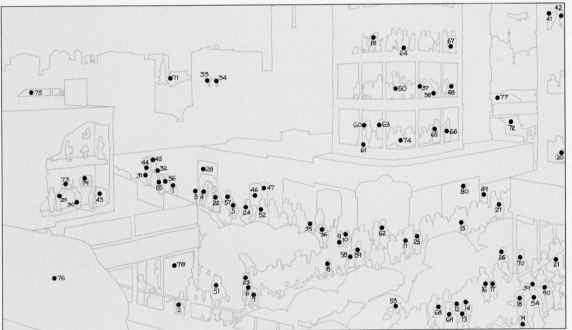

Dans le centre-ville 60-61

Écoliers 1 2 3 4 5 6
7 8 9 10 11 12 13
14 15 16 17 18 19
20

Endroit où l'on vend
des sushis 21

Personnes portant
un masque 22 23
24 25 26 27

Magasin où l'on vend
du poulet 28

Personnes se saluant
29 30 31 32 33
34 35 36 37 38
39 40 41 42

Distributeurs 43 44
45 46 47 48 49

Bar à karaoké 50

Lutteurs de sumo 51
52 53 54

Kimonos 55 56 57
58 59 60 61 62
63 64 65 66 67
68 69 70

Temple 71

Sanctuaire 72

Serviette 73

Restaurant
traditionnel 74

Trains-obus 75 76
77

Magasin où l'on vend
des ordinateurs 78

Quelqu'un qui dort
79

Radio 80

Grand-tante Yvonne
81

À la piscine 62-63

Eiders 1 2 3 4 5 6 7
8 9 10 11 12 13
14 15 16 17 18 19
20

Jouets en forme de
requin 21 22 23
24 25 26 27

Matelas
pneumatiques 28
29 30 31 32 33
34

Bouées 35 36 37
38 39 40 41 42
43 44 45 46 47
48 49 50 51 52
53 54

Cheminées rejetant
de la vapeur 55
56 57 58 59

Cavaliers 60 61 62
63 64 65 66

Randonneurs 67 68
69 70 71 72 73

Médecin 74

Femme qui a acheté
plein de tubes de
crème 75

Serveurs 76 77 78
79

Serveuses 80 81 82
83

Personnes qui se
sont enduites le
visage de boue 84
85 86 87 88 89
90 91 92 93 94
95 96 97 98

Pilules contre le mal
de mer 99

Client de l'hôtel 100

Vestiaire des
femmes 101

Plateaux-repas 102
103 104 105 106
107 108 109 110
111 112 113 114 115
116 117 118 119
120 121 122

Quatre-quatre 123
124 125 126 127
128 129 130

Sels de bain 131

Grand-tante Yvonne
132

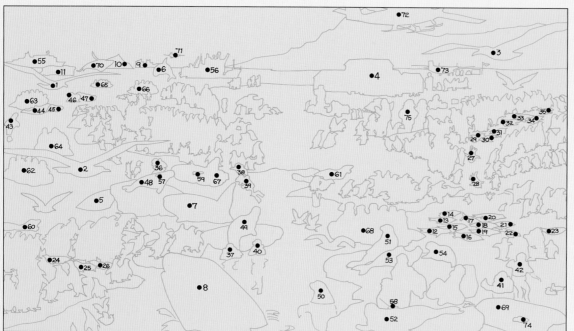

Sur la banquise 64-65

Albatros 1 2 3

Station scientifique 4

Orques 5 6 7 8

Iceberg en forme de château 9

Iceberg en forme de pyramide 10

Iceberg en forme de temple grec 11

Manchots qui nagent 12 13 14 15 16 17 18 19 20 21 22 23

Manchots qui font du toboggan 24 25 26 27 28 29 30 31 32 33 34 35

Plongeurs 36 37 38 39 40 41 42

Phoques crabiers 43 44 45 46 47 48 49 50 51 52 53 54

Bateau de croisière 55

Navire océanographique 56

Émetteurs 57 58

Lampe de poche 59

Léopards de mer 60 61

Canots pneumatiques 62 63 64 65 66 67 68 69

Baleine à bosse 70

Avions 71 72 73

Gants rayés 74

Grand-tante Yvonne 75

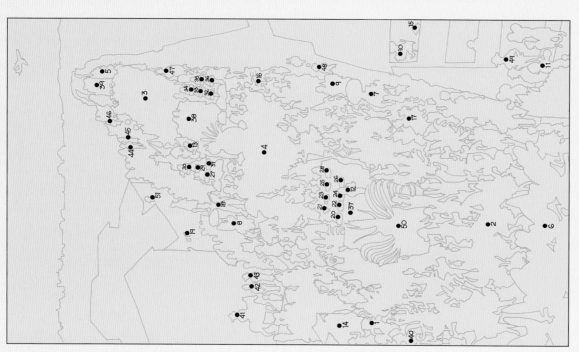

Au carnaval 66-67

Grand-tante Yvonne 1

Le vie sous-marine 2

Le cirque 3

Les Incas 4

La danse espagnole 5

Les insectes 6

Sorbets aux fruits 7

Maïs grillés 8

Rotis 9

Enfant qui joue au juge 10

Vendeuse de noix de coco 11

Chanteurs 12 13

Étal de fruits 14

Calculatrice 15

Jab Molassi 16

Burroquite 17

Moco Jumbie 18

Tambours 19 20 21 22 23 24 25 26 27 28 29 30 31 32 33 34 35 36

Chars 37 38 39

Policiers 40 41 42 43 44 45 46 47 48 49

Costume 50

T-shirt 51

Au souk 68-69

Herbes et épices 1

Luth 2

Tambourin 3

Personnes qui portent des ballots de laine 4 5 6

Étals de dattes 7

Plateaux en cuivre 8

Poteries peintes 9

Babouches en cuir 10

Paniers tressés 11

Toques brodées 12

Selles 13 14

Verres de thé à la menthe 15 16 17 18 19 20 21

Récipients en bois de cèdre 22 23 24 25 26 27 28 29 30 31 32 33

Chapeau de paille 34

Olives 35

Personnes qui marchandent 36 37

Poules 38 39 40 41 42 43 44 45 46

Porteurs d'eau 47 48 49 50

Miroir 51

Grand-tante Yvonne 52

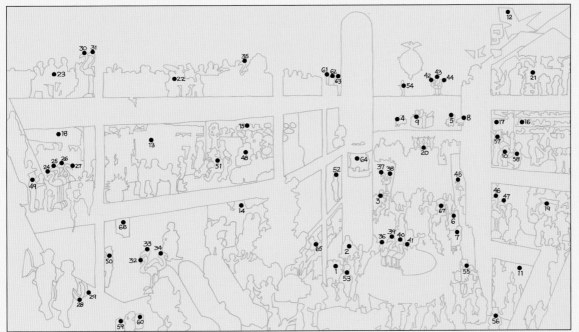

Au centre commercial 70-71

Bancs 1 2 3 4 5 6 7 8
Bureau d'accueil 9
Enfant perdu 10
Salon de coiffure 11
Cerfs-volants 12
Équipement de sport 13
Livres 14
Chapeaux de cow-boy 15
Chaussures 16
Jeans 17
Fleurs 18
Gâteaux 19
Danseuses 20
Glaces 21
Spaghetti 22
Pizza 23
Statues de flamants roses 24 25 26 27 28 29 30 31 32 33 34 35 36 37 38 39 40 41 42 43 44 45 46 47

Valise 48
Gardiens 49 50 51 52 53 54 55 56 57 58
Téléphones 59 60 61 62 63
Ascenseur vitré 64
Fresque 65
Ballon à pois 66
Grand-tante Yvonne 67

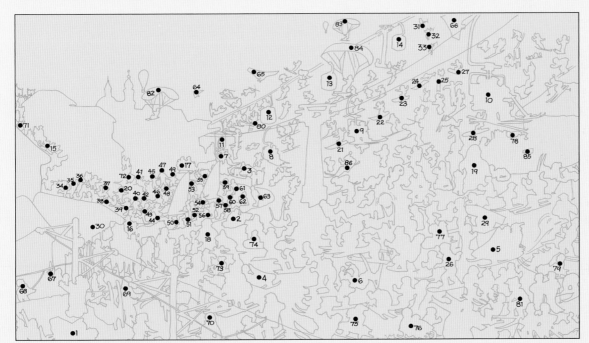

Au ski 72-73

Motoneiges 1 2 3 4 5
Quelqu'un qui a cassé ses lunettes 6
Télésièges 7 8 9 10
Cabines de téléphérique 11 12 13 14
Traîneaux 15 16 17
Groupes d'enfants faisant un bonhomme de neige 18 19
Surfeurs 20 21 22 23 24 25 26 27 28 29
Magasin de location de skis 30
Alpinistes 31 32 33
Patineurs 34 35 36 37 38 39 40 41 42 43 44 45 46 47 48 49 50 51 52 53 54 55 56 57 58 59 60 61 62 63

Deltaplanes 64 65 66
Sac 67
Skieurs sur un téléski 68 69 70
Luges 71 72 73 74 75 76 77 78 79
Moniteurs de ski 80 81
Skieurs en parapente 82 83 84
Fromage 85
Grand-tante Yvonne 86

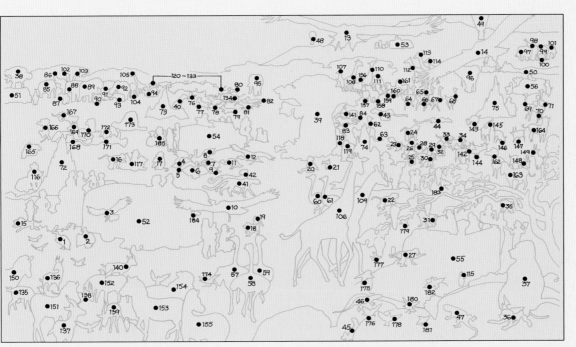

En safari-photo 74-75

Vautours 1 2 3 4 5 6 7 8 9 10 11 12 13 14
Babouins 15 16 17 18 19 20 21 22 23 24 25 26 27 28 29 30 31 32 33 34 35 36 37
Baobabs 38 39
Guépards 40 41 42 43 44
Agames 45 46 47
Montgolfières 48 49 50
Car 51 52 53
Quatre-quatre 54 55 56
Autruches 57 58 59 60 61 62 63 64 65 66 67 68 69 70 71
Termitières 72 73 74 75
Lycaons 76 77 78 79 80 81 82 83 84
Éléphants 85 86 87 88 89 90 91 92 93 94 95 96 97 98 100 101

Girafes 102 103 104 105 106 107 108 109 110 111 112 113 114
Gourde d'eau 115
Chercheurs 116 117 118 119
Gnous 120 121 122 123 124 125 126 127 128 129 130 131 132 133 134
Gazelles de Thomson 135 136 137 138 139 140 141 142 143 144 145 146 147 148 149
Zèbres 150 151 152 153 154 155 156 157 158 159 160 161 162 163 164
Lions 165 166 167 168 169 170 171 172 173
Tisserins 174 175 176 177 178 179 180 181 182 183
Jumelles bleues 184
Grand-tante Yvonne 185

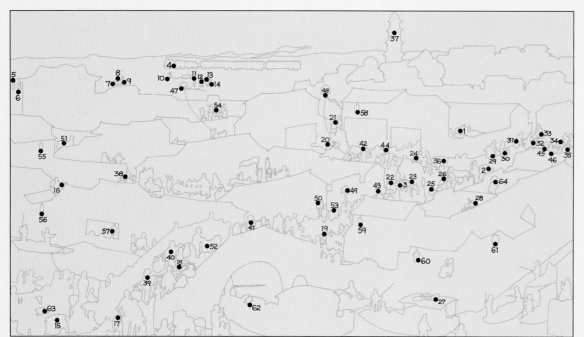

En ville 76-77

Costume de dragon 1

Cochons 2

Canards 3

Locomotive à vapeur 4

Fermiers 5 6 7 8 9 10 11 12 13 14

Théières à vendre 15

Bicyclettes 16 17 18 19 20 21 22 23 24 25 26 27 28 29 30 31 32 33 34 35

Rouleaux de soie 36

Pagode 37

Personnes avec des paniers suspendus à un baton 38 39 40 41 42 43 44 45 46

Cerfs-volants 47 48 49

Pelle 50

Voitures d'enfant 51 52 53

Groupe de taï chi 54

Cages d'oiseaux 55 56 57 58 59 60 61

Panda en peluche 62

Éventail 63

Grand-tante Yvonne 64

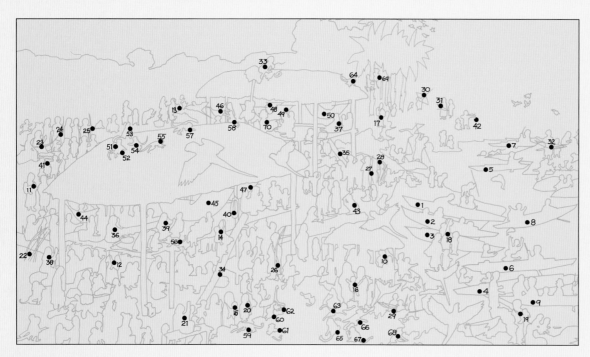

En forêt tropicale 78-79

Pirogues 1 2 3 4 5 6 7 8 9

Fillette avec des graines du rocouyer 10

Bébés en bandoulière 11 12 13 14 15 16 17 18 19

Fillette au perroquet 20

Quelqu'un qui broie du manioc 21

Arcs 22 23 24 25 26 27 28 29 30 31 32

Quelqu'un qui répare un toit 33

Échelles 34 35

Personnes qui tissent 36 37

Personnes qui filent 38 39

Guirlande de plumes 40

Lance-pierres 41 42

Personne qui coupe du bois 43

Hamacs 44 45 46 47 48 49 50

Singes hurleurs roux 51 52 53 54 55 56 57 58 59 60 61 62 63 64 65 66 67 68

Régime de bananes 69

Grand-tante Yvonne 70

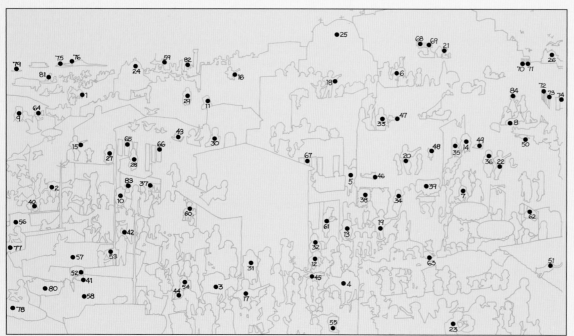

Dans les îles 80-81

Ânes 1 2 3 4 5 6 7 8

Vases 9 10 11 12 13 14

Bouzoukis 15 16 17 18 19 20 21 22

Personne qui mange 23

Églises 24 25 26

Femmes qui cousent 27 28 29 30 31 32 33 34 35 36

Colliers 37

Cartes postales 38

Sacs en cuir 39

Chats 40 41 42 43 44 45 46 47 48 49 50 51

Paniers de poissons 52 53 54 55

Bateaux de pêche 56 57 58 59

Ferblantier 60

Boulanger 61

Cordonnier 62

Carnet et crayons 63

Fenêtres avec des volets rouges 64 65 66 67 68 69 70 71 72 73 74

Phoques moines 75 76

Barques 77 78 79 80 81

Ruines 82

Statue d'argile 83

Grand-tante Yvonne 84

94

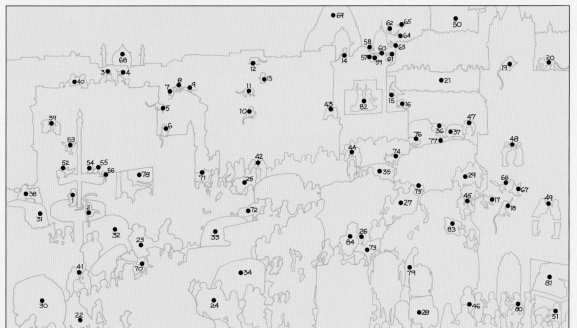

Dans les rues 82-83

Langurs 1 2 3 4 5 6
  7 8 9 10 11 12 13
  14 15 16 17 18 19
  20
Train 21
Pousse-pousse à
  bicyclette 22 23
  24 25 26 27 28
  29
Pousse-pousse à
  scooter 30 31 32
  33 34 35 36 37
Paires de personnes
  se saluant 38 39
  40 41 42 43 44
  45 46 47 48 49
Forteresse 50
Vendeur de thé 51
Corneilles 52 53 54
  55 56 57 58 59
  60 61 62 63 64
  65 66 67
Mosquée 68
Temple 69
Vaches 70 71 72 73
  74 75 76 77
Chaussures 78

Homme qui fait frire
  des puris 79
Barbier 80
Confiseries 81
Affiche de cinéma
  82
Guirlande de fleurs
  83
Grand-tante Yvonne
  84

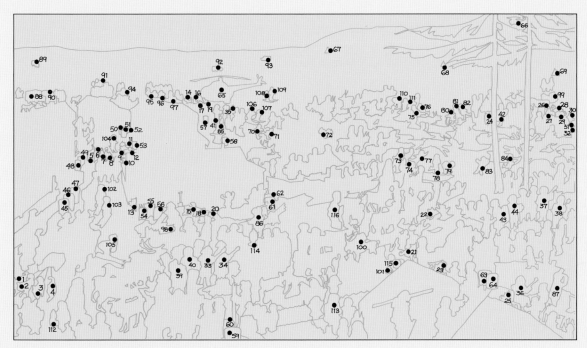

À la course de rennes 84-85

Huskys 1 2 3 4 5 6
  7 8 9 10 11 12 13
  14 15 16 17 18 19
  20 21 22 23 24
  25 26 27 28 29
  30 31 32
Balalaïkas 33 34 35
  36 37 38
Accordéons 39 40
  41 42 43 44
Barils de pétrole 45
  46 47 48 49 50
  51 52 53 54 55
  56 57 58 59 60
  61 62 63 64
Hélicoptères 65 66
Chums 67 68 69
Patineurs 70 71 72
  73 74 75 76 77
  78 79 80 81 82
  83 84
Hommes qui
  coupent du bois
  85 86 87
Quatre-quatre 88 89
  90 91 92 93

Motoneiges 94 95
  96 97 98 99
Personne qui
  harnache un renne
  100
Oreillettes 101
Skieurs 102 103
  104 105 106 107
  108 109 110 111
Ours en peluche 112
Sculpteur 113
Samovar 114
Bonnet de fourrure
  blanc 115
Grand-tante Yvonne
  116

En croisière 86-87

Minouche 1
Petite Anne 2
Grand-tante Ève 3
Rosie 4
Jacques 5
Josiane 6
Oncle Michel 7
Madame Choy 8
Médor 9
Grand-tante Yvonne
  10
Zazou 11
Sacha 12
Les jumeaux 13
Docteur Parekh 14
Max 15
Tante Mireille 16
Grand-oncle
François 17
Monsieur Choy 18

Test de mémoire

De quoi te souviens-tu à propos d'Autour du monde ? Essaie de répondre à ces questions pour le savoir. Tu trouveras les réponses page 171.

À l'aéroport

1. Comment embarque-t-on dans un avion ?
   A Par un escalier en spirale.
   B Par une passerelle couverte.
   C Sur un chariot.
   D Par un ascenseur.

Au marché flottant (Thaïlande)

2. Lequel de ces objets n'est pas vendu au marché ?
   A Des canards en bois laqué.
   B Des coussins brodés.
   C Des poupées en costume de danseuse.
   D Des chaussures en cuir.

À la plage (Australie)

3. Qu'est-ce qui pourrait te servir quand tu nages ?
   A Un tuba.
   B Un tabou.
   C Un baba.
   D Un tutu.

Dans le désert (Moyen-Orient)

4. De nos jours, comment se déplacent la plupart des Bédouins ?
   A À dos de chameau.
   B En camionnette.
   C À dos d'éléphant.
   D En sous-marin.

Dans le centre-ville (Japon)

5. Comment appelle-t-on les trains très rapides au Japon ?
   A Des trains missiles.
   B Des trains éclairs.
   C Des trains-obus.
   D Des trains tortues.

Sur la banquise (Antarctique)

6. Que chassent les léopards de mer ?
   A Les gens.
   B Les orques.
   C Les manchots.
   D Les singes.

Au carnaval (Trinidad)

7. Comment s'appellent les chants de carnaval à Trinidad ?
   A Des câlins.
   B Des calypsos.
   C Des canaris.
   D Des canettes.

Au souk (Maroc)

8. Que boit-on souvent au marché marocain ?
   A Du thé à la menthe chaud.
   B Du chocolat chaud.
   C Du jus de pomme.
   D Du vin rouge.

Au ski (Alpes)

9. Qu'est-ce qui ne sert pas à monter les pentes ?
   A Un téléski.
   B Un télésiège.
   C Une planche.
   D Un téléphérique.

En safari-photo (Afrique)

10. Qu'ont de spécial les baobabs ?
   A Ils vivent 2 000 ans.
   B Ils stockent de l'eau dans leur tronc.
   C Ils savent parler plusieurs langues.
   D Ils poussent vers le bas au lieu de vers le haut.

En forêt tropicale (Amazonie)

11. Où dorment les Ashaninka de la forêt amazonienne ?
   A Dans des trous à même le sol.
   B Dans des montgolfières.
   C Dans des hamacs.
   D Dans des barques.

À la course de rennes (Sibérie)

12. Que portent les rennes pour une course ?
   A Des oreillettes.
   B Des harnais de couleurs vives.
   C Des patins à glace.
   D Des lunettes de ski.

CACHE-CACHE
DANS LES
CHATEAUX

Illustrations : Dominic Groebner

Sommaire

Au sujet de cette partie

Cette partie te fait découvrir toutes sortes de châteaux et leurs habitants. Mais c'est également un livre-jeu (voir ci-dessous). Le but consiste à repérer dans la grande scène illustrée toutes les personnes, tous les animaux et les objets représentés autour. Tu trouveras les réponses aux pages 124 à 127.

La bande en haut de la page t'indique où et quand le château a été construit.

Il y a plusieurs petites images en marge de la scène principale.

La légende de chaque image t'indique combien il y en a dans la scène principale.

Certaines images sont présentées sous différents angles dans la scène principale.

Certaines images peuvent être en partie cachées, mais tu dois les compter.

L'histoire des châteaux

Il y a mille ans, la vie était très dangereuse. Les rois et les seigneurs avaient besoin d'un lieu où se réfugier lors des attaques ennemies. Ils se sont donc mis à bâtir des châteaux.

Le château fournissait un toit au seigneur, à sa famille, à ses serviteurs et à ses soldats. C'était aussi un lieu sûr pour tous les gens qui vivaient sur les terres seigneuriales. À chaque attaque ennemie, tout le monde se réfugiait au château.

Les châteaux étaient souvent construits en hauteur, afin que les soldats puissent guetter l'ennemi.

Les premiers châteaux

Ils ont été édifiés autour de l'an 900. Au début, c'étaient simplement de solides maisons entourées de remblais. Mais vers 1050, on s'est mis à bâtir des structures plus complexes.

En Angleterre et en France, les rois et les seigneurs ont construit des châteaux forts. Ils comprenaient une grande tour au sommet d'une butte, la motte, et une cour fermée appelée basse-cour. La plupart des gens vivaient dans celle-ci, mais si un ennemi attaquait, tout le monde se réfugiait dans la tour.

Certains avaient une tour en bois, mais on préféra bientôt les bâtir en pierre, un matériau plus solide.

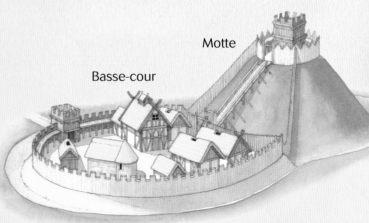

Motte

Basse-cour

100

De nouvelles bâtisses

Vers 1300, les armées avaient mis au point toute une série d'armes effroyables. Il a fallu inventer de nouvelles techniques pour fortifier les châteaux. Enceintes avec chemins de ronde, tours de guet et corps de garde ont été ajoutés.

Vers 1400, les soldats ont commencé à tirer au canon sur les remparts. Les gens ne se sentaient plus en sécurité dans les châteaux, qui ne pouvaient donc plus servir de refuge.

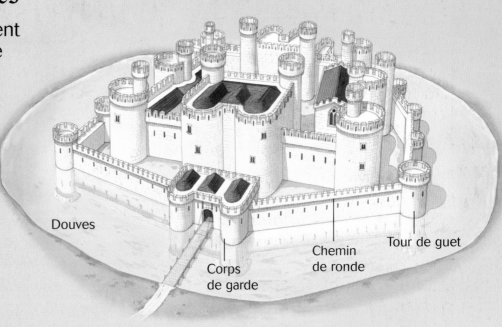

Douves

Corps de garde

Chemin de ronde

Tour de guet

Les châteaux bien protégés comme celui-ci ont été bâtis par les croisés partis se battre au Moyen-Orient.

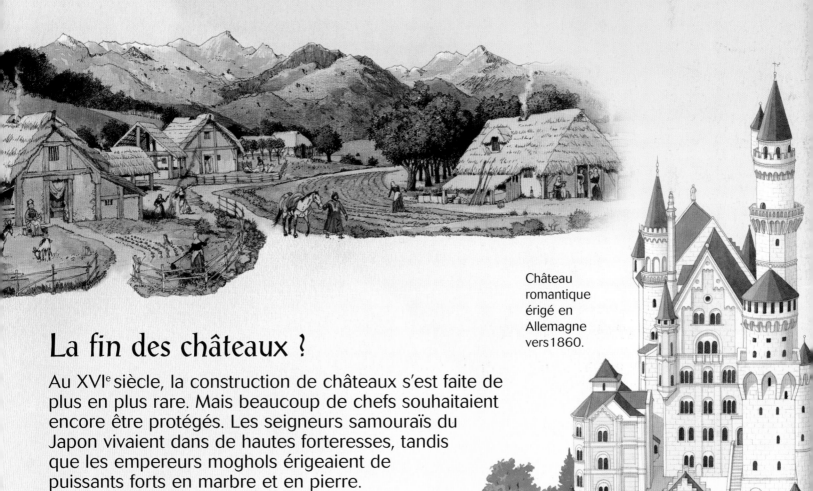

Château romantique érigé en Allemagne vers 1860.

La fin des châteaux ?

Au XVIe siècle, la construction de châteaux s'est faite de plus en plus rare. Mais beaucoup de chefs souhaitaient encore être protégés. Les seigneurs samouraïs du Japon vivaient dans de hautes forteresses, tandis que les empereurs moghols érigeaient de puissants forts en marbre et en pierre.

Au XIXe siècle, on s'est intéressé de nouveau aux châteaux. Quelques personnes fortunées ont même fait construire de « faux » châteaux pour y vivre. Ces édifices romantiques ressemblent à des châteaux médiévaux, mais ils n'ont jamais été destinés à la guerre.

Un des premiers châteaux

Après avoir conquis l'Angleterre en 1066, les Normands ont contraint les Saxons à bâtir des châteaux. La plupart disposaient d'une tour sur une motte et d'une basse-cour fermée, où vivaient les soldats.

Les Normands commandaient. Il y a dix-sept soldats qui donnent des ordres et surveillent les Saxons au travail.

Les menuisiers sciaient du bois. Trouves-en six en train de travailler.

Une palissade de pieux en bois, la lice, protégeait le château. Trouve six ouvriers qui la bâtissent.

Un treuil servait à soulever de grosses charges. Le vois-tu ?

La construction était parfois dangereuse. Vois-tu l'ouvrier saxon en train de tomber ?

Cherche les quatorze ouvriers en train de faire une pause déjeuner.

Un grand fossé entourait le château. Trouve les dix-neuf Saxons qui le creusent à la pelle.

Cherche les deux marteaux que des ouvriers maladroits ont laissés tomber.

Brancards et traîneaux servaient à transporter les matériaux. Trouve douze brancards et trois traîneaux.

Cherche les dix-sept ouvriers qui transportent de la paille ou couvrent les toits de chaume.

Le château comporte trois ponts-levis. Les vois-tu ?

Les sentinelles normandes guettaient l'ennemi. En vois-tu neuf sur la tour et la lice ?

Certains hommes travaillaient à la ferme pendant la construction du château. Vois-tu les trois paysans ?

Certaines parties du château étaient recouvertes de chaux. Trouve les six maçons chargés de l'appliquer.

Dans le donjon

De nombreux châteaux avaient une grande tour, le donjon, bâtie en pierre. C'était la partie la plus noble et la mieux protégée, où le seigneur vivait et recevait ses invités.

Trouve les trois marchands venus rendre visite au seigneur.

Les tapisseries protégeaient les habitants contre le froid. Trouves-en huit sur les murs.

Le donjon avait un escalier en spirale. Repère le serviteur qui en dégringole.

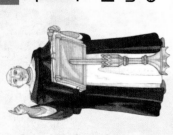

Les messes se tenaient dans la chapelle. Vois-tu les trois prêtres ?

Faire le guet donnait faim. Trouve deux gardes qui se restaurent.

On capturait les prisonniers pour les mettre au cachot. En vois-tu sept ?

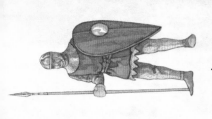

Les gardes guettaient tout signe éventuel de trouble. Cherche-en vingt-huit à la tâche et au repos.

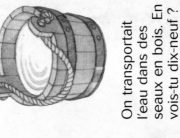

On transportait l'eau dans des seaux en bois. En vois-tu dix-neuf ?

Les toilettes s'appelaient garde-robe. Repère le garde qui les utilise.

On stockait des provisions pour tenir plusieurs mois. Il y a vingt-sept sacs de farine et vingt-huit tonneaux de vin.

Le seigneur donnait des banquets dans la grande salle. Il est assis à la table d'honneur, le vois-tu ?

L'intendant était responsable des comptes du château. Trouve-le, il est en train de compter son argent.

La famille du seigneur vivait à l'étage dans une grande pièce. Trouve la dame qui brode sa tapisserie.

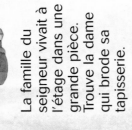

Le clerc vérifiait que rien ne manquait dans les réserves du château. Où est-il ?

Dans la basse-cour

La cour fermée autour du donjon s'appelait la basse-cour. Beaucoup de gens y travaillaient dur pour assurer la bonne marche du château. C'est là qu'étaient aussi préparés la plupart des repas.

Les menuisiers fabriquaient des charrettes et des meubles. En vois-tu un qui construit une roue ?

Les lavandières séchaient le linge sur des buissons. Trouve huit tuniques en train de sécher.

Vois-tu les six chaudrons dont se servent les cuisiniers ?

Les charretiers apportaient la nourriture. Trouve les dix navets tombés de la charrette.

Les laitières transportaient le lait en provenance de la laiterie. En vois-tu trois ?

Les boulangers utilisaient de grands fours en plein air. Trouve seize miches.

Les chasseurs rapportaient du gibier, que l'on faisait cuire. Vois-tu deux biches et huit lapins ?

Les forgerons fabriquaient et réparaient les outils et les armes. Trouve douze épées façonnées à la forge.

Des serviteurs étaient chargés d'aiguiser les couteaux. Vois-tu les trois rémouleurs ?

Les étables sentaient souvent très mauvais. Cherche les cinq valets d'écurie qui les nettoient.

As-tu repéré le maréchal-ferrant en train de ferrer un cheval ?

Il y a sept enfants qui jouent au ballon. Les vois-tu ?

Les facteurs d'arcs taillaient des hampes en bois pour les flèches. Trouve treize flèches.

On engraissait les oies pour les festins. Cherches-en sept.

Le siège

Durant le Moyen Âge, les châteaux subissaient souvent les attaques ennemies. Un siège pouvait durer des mois. Les assaillants avaient des armes terribles, mais les soldats assiégés se défendaient vaillamment.

Les trompettes donnaient des ordres en musique aux soldats. En vois-tu trois ?

On catapultait de grosses pierres sur l'ennemi. Cherches-en trente, prêtes à être lancées.

Parfois, des soldats tentaient de traverser les douves à la nage. Trouves-en quatre.

Les beffrois étaient montés sur roues. Vois-tu les onze hommes dans le beffroi ?

L'arc était l'arme principale des archers. Cherches-en treize.

Des soldats blessés tombaient des remparts. Vois-tu les trois défenseurs en train de chuter ?

On lançait des animaux morts dans le château pour répandre des maladies. Repère la vache catapultée.

Les chevaliers portaient leurs armoiries sur leurs boucliers. Trouve cinquante-trois boucliers.

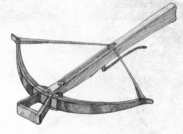

Certains archers étaient spécialistes du tir à l'arbalète. Trouve six arbalètes.

Parfois un ennemi se glissait, déguisé, dans le château. As-tu repéré l'espion ?

Les chevaliers se battaient avec des armes violentes. Trouve cette masse.

Les défenseurs versaient des marmites de liquide bouillant sur l'ennemi. Trouve quatre marmites.

Les archers tiraient à travers des fentes dans les murailles, que l'on appelle des meurtrières. Trouves-en vingt.

Les soldats hardis grimpaient aux échelles. Trouve les six assaillants qui montent ou dégringolent.

Le banquet

Le seigneur donnait parfois un banquet dans la grande salle du château. Les invités de marque siégeaient à la table d'honneur, avec marchands et chevaliers. Ces festins bruyants duraient des heures.

Les chiens et les chats mangeaient les restes du festin. Cherche quatre chats et quatre chiens.

Les jongleurs amusaient les invités. Il y a onze boules à jongler.

Les serviteurs travaillaient beaucoup. En vois-tu six ?

Les cuisiniers préparaient des gâteaux très élaborés, comme ce château en pâte d'amandes. Cherche-le.

Vois-tu la salière en forme de bateau ?

Les convives buvaient dans des timbales d'argent et d'or. En vois-tu trente et une ?

L'emblème de la famille figurait un peu partout dans la salle. Trouves-en dix.

Le cygne farci était très apprécié et souvent servi aux festins. Vois-tu ce plat ?

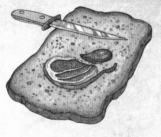

Aux tables modestes, les tranches de pain servaient d'assiettes. Trouves-en vingt.

La salle était éclairée aux chandelles. Cherches-en neuf.

Vois-tu la tête de sanglier rôtie, autre mets très apprécié ?

Vois-tu les quinze pâtés qu'un page maladroit a renversés ?

Cherche cinq chiens sur les tapisseries murales de la salle.

Les ménestrels et les baladins animaient ces festins. Trouves-en douze.

Le tournoi

Le château accueillait souvent des tournois. De courageux chevaliers s'affrontaient dans de fausses batailles, les joutes. Les seigneurs et leurs dames siégeaient dans des tribunes décorées, et le public venait en foule.

Un héraut annonçait les noms des chevaliers. Le vois-tu ?

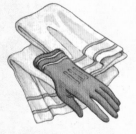

Parfois, un chevalier portait un gage d'amour de sa dame. Vois-tu deux gages ?

Un marchand vendait des pâtés aux spectateurs. Trouves-en neuf.

Les chevaliers s'affrontaient avec une lance, arme à longue hampe terminée par un fer pointu. Cherche dix lances.

Les pages jouaient au chevalier. En vois-tu un qui s'entraîne à jouter ?

Le chevalier vainqueur recevait une coupe. La vois-tu ?

Cherche le page posté en hauteur pour mieux profiter du spectacle.

Des voleurs rôdaient aussi parmi la foule. Cherches-en deux en pleine action.

Même les prêtres venaient voir la joute. Cherches-en deux.

Les chevaliers portaient de magnifiques heaumes à cimier. Trouves-en quatre.

Les lutteurs se battaient pour mesurer leur force. En vois-tu quatre ?

Les chevaliers en visite logeaient dans leur tente appelée pavillon. Il y en a quatre.

Il arrivait que les chevaliers soient blessés. En vois-tu un que l'on emporte sous une tente ?

Parfois, les gens regardaient la joute du château. Repère les trois dames qui sont au balcon.

Les écuyers aidaient leurs maîtres pendant la joute. En vois-tu sept autres ?

Le logis familial

Le seigneur et sa famille n'habitaient pas en permanence au château, mais ils y séjournaient souvent.

Sur ces deux pages, tu peux les voir dans la salle où ils vivaient et sur les terres du château.

La dame du château organisait les banquets avec le cuisinier. Où se trouve-t-il ?

Les marionnettes plaisaient beaucoup. Repères-en sept.

Les garçons nobles venaient au château pour y être écuyers. Il y en a deux qui s'entraînent pour devenir chevaliers.

Cherche le hochet en argent du bébé.

Les filles exécutaient de délicats travaux d'aiguille. Vois-tu trois tissus brodés ?

La famille possédait de précieux ouvrages écrits à la main : les manuscrits. Trouves-en cinq.

Le seigneur et ses amis partaient chasser. Repère six cors de chasse.

Les enfants jouaient aux échecs. Trouve la pièce volée par leur petite sœur.

Les enfants plus jeunes aimaient jouer à la toupie. Trouves-en quatre.

Les chiens étaient. nombreux. Trouves-en quatorze dehors et à l'intérieur.

Beaucoup de gens venaient voir le seigneur. Trouve l'intendant et le connétable.

On faisait pousser un tas d'herbes médicinales. Vois-tu la mère du seigneur dans le jardin ?

Les dames utilisaient des faucons pour chasser les petits oiseaux. Repères-en six.

Les enfants jouaient au cheval à bascule. En vois-tu six ?

Un château de croisés

Les croisés étaient des chevaliers chrétiens partis d'Europe pour conquérir les terres autour de Jérusalem. On voit ici un roi et sa suite en visite dans un château bâti par des croisés.

Ce château était dirigé par des croisés appelés Hospitaliers. Cherches-en trente-trois.

Des animaux sauvages rôdaient dans les collines. Vois-tu six loups et un lion ?

Trouve cette dame qui s'est évanouie sous la chaleur.

Vois-tu le moulin où le boulanger du château fabriquait sa farine ?

Le roi arrive au château. Il vient rendre visite aux croisés. Le vois-tu ?

Les croisés élevaient des pigeons pour les manger. Trouve vingt-neuf oiseaux.

Le roi était accompagné de chevaliers armés. Trouves-en neuf sur leur monture.

Certains chevaliers étaient attaqués et blessés en chemin. Cherche le blessé dans la charrette.

Les écuyers marchaient auprès de leur maître. En vois-tu six ?

Les mules transportaient les provisions. Repères-en cinq.

Les ménestrels jouaient pour les chevaliers et les dames. Il y en a un, le vois-tu ?

Le chef des gardes accueille le roi. Le vois-tu, avec ses clés ?

Vois-tu l'évêque qui remercie Dieu après un voyage sans encombre ?

Cherche l'aqueduc qui achemine l'eau au château.

Une forteresse samouraï

Les seigneurs japonais vivaient dans des forteresses défendues par des guerriers samouraïs féroces. En temps de paix, ceux-ci s'entraînaient au combat et la forteresse était très animée.

Vois-tu le seigneur de la forteresse ? Il s'appelait le daimyo.

Les nourrices s'occupaient des enfants du seigneur. Trouve trois nourrices.

Les samouraïs défilaient parfois dans la cour. Cherche dix petits drapeaux dans leur dos.

Les lavandières nettoyaient des montagnes de lessive. Trouve trois corbeilles de linge.

Les jeunes samouraïs apprenaient l'art du combat. Trouves-en huit qui se battent au sabre de bois.

Certains prêtres bouddhistes vivaient dans la forteresse. En vois-tu trois ?

Cherche les trois marchands venus présenter leurs soieries aux dames de la forteresse.

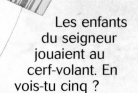

Les enfants du seigneur jouaient au cerf-volant. En vois-tu cinq ?

Les paysans alimentaient la forteresse. Trouves-en quatre avec des paniers remplis de provisions.

Les tanneurs fabriquaient des selles pour les guerriers. Vois-tu sept selles ?

Trouve les quatre fabricants d'épées en train d'aiguiser les lames sur des pierres.

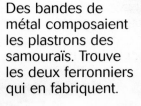

Des bandes de métal composaient les plastrons des samouraïs. Trouve les deux ferronniers qui en fabriquent.

Trouve le poète et les deux musiciens qui divertissent les dames.

Cherche neuf grandes bannières sur les remparts ou portées par des enseignes.

119

Un fort moghol

Les empereurs moghols de l'Inde bâtirent de vastes forts renfermant de splendides palais, des jardins et des mosquées. On voit ici un empereur moghol qui accueille une procession d'invités.

L'empereur siégeait sur un trône en or. Trouve-le.

Il y avait beaucoup plus d'hommes que de femmes à la cour. Cherche dix-neuf dames dans cette scène.

Certains gardes du palais étaient armés de mousquets. Trouve quatre mousquets.

Les musiciens étaient nombreux. Cherche quatre tambours, neuf cornets droits ou courbes et deux paires de cymbales.

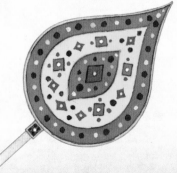

Pour rafraîchir l'empereur, des serviteurs agitaient de grands éventails. Trouves-en deux.

Des paons et des singes se promenaient dans le fort. Trouve dix paons et six singes.

Parfois, des serpents venimeux se glissaient dans la cour. Cherches-en neuf.

Vois-tu le peintre du palais ? C'est lui qui réalisait des tableaux des événements importants.

Un singe espiègle a dérobé une parure de turban. Essaie de la retrouver.

Vois-tu le prince sur son cheval qui vient rendre visite à l'empereur ?

Les courtisans du prince portaient des bâtons décorés. En vois-tu sept ?

Les visiteurs présentaient leurs somptueux cadeaux sur des coussins. En vois-tu quatre autres ?

121

Un château romantique

Au XIXe siècle, on a construit des châteaux « de contes de fées » qui ressemblaient à des bâtisses médiévales, mais étaient bien plus confortables. Voici un château romantique, où est donné un bal.

Des girouettes originales ornaient le sommet des toits. Trouves-en cinq autres.

On préparait les grands banquets à la cuisine. Où est la chef cuisinière ?

Les domestiques dormaient dans de modestes chambres. Vois-tu deux lits ?

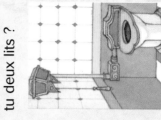

Il y avait l'eau chaude et des toilettes avec chasse d'eau. Trouves-en deux.

Les propriétaires aimaient donner des soirées. Trouve le roi qui accueille ses invités.

Vois-tu les invités faisant signe à leurs amis qui arrivent au bal ? Il y en a dix-sept.

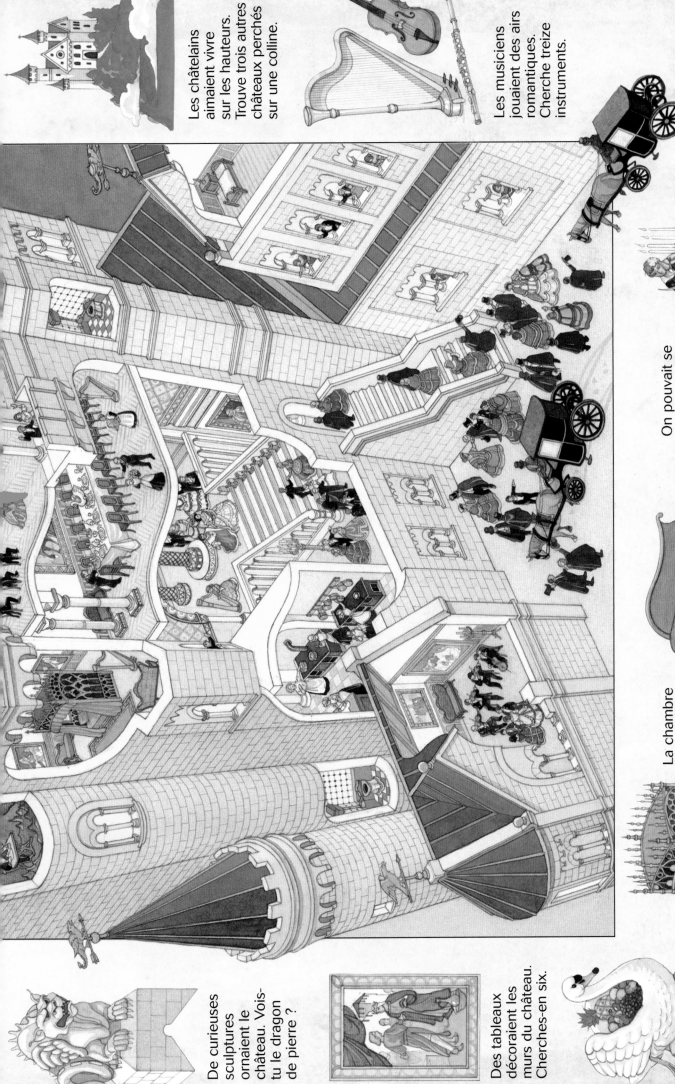

Les châtelains aimaient vivre sur les hauteurs. Trouve trois autres châteaux perchés sur une colline.

Les musiciens jouaient des airs romantiques. Cherche treize instruments.

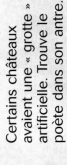

Certains châteaux avaient une « grotte » artificielle. Trouve le poète dans son antre.

On pouvait se détendre sur de confortables canapés. En vois-tu cinq ?

La chambre royale était grandiose. Où se trouve le lit du roi ?

De curieuses sculptures ornaient le château. Vois-tu le dragon de pierre ?

Des tableaux décoraient les murs du château. Cherches-en six.

On servait les mets dans de superbes plats. Où est le saladier en forme de cygne ?

123

Réponses

Aide-toi des légendes qui suivent pour vérifier tes réponses.
Les numéros indiquent l'emplacement exact des personnages,
des animaux et des objets représentés dans les différentes
scènes du livre.

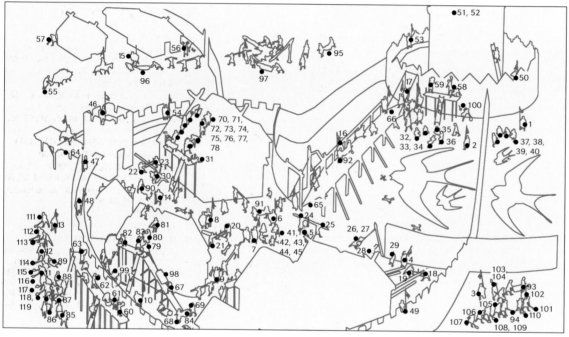

Un des premiers châteaux 102-103

Soldats normands, 1, 2, 3, 4, 5, 6, 7, 8, 9, 10, 11, 12, 13, 14, 15, 16, 17

Menuisiers sciant du bois, 18, 19, 20, 21, 22, 23

Ouvriers érigeant une palissade, 24, 25, 26, 27, 28, 29

Treuil, 30

Ouvrier saxon en train de tomber, 31

Ouvriers qui déjeunent, 32, 33, 34, 35, 36, 37, 38, 39, 40, 41, 42, 43, 44, 45

Sentinelles, 46, 47, 48, 49, 50, 51, 52, 53, 54

Paysans, 55, 56, 57

Maçons appliquant de la chaux, 58, 59, 60, 61, 62, 63

Ponts-levis, 64, 65, 66

Couvreurs de toits de chaume, 67, 68, 69, 70, 71, 72, 73, 74, 75, 76, 77, 78, 80, 81, 82, 83

Brancards, 84, 85, 86, 87, 88, 89, 90, 91, 92, 93, 94, 95

Traîneaux, 96, 97, 98

Marteaux, 99, 100

Saxons creusant à la pelle, 101, 102, 103, 104, 105, 106, 107, 108, 109, 110, 111, 112, 113, 114, 115, 116, 117, 118, 119

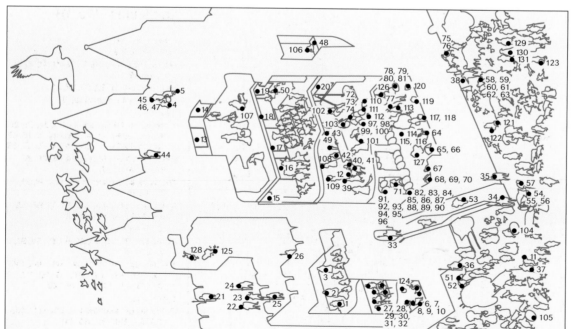

Dans le donjon 104-105

Prêtres, 1, 2, 3

Gardes qui se restaurent, 4, 5

Prisonniers, 6, 7, 8, 9, 10, 11, 12

Tapisseries, 13, 14, 15, 16, 17, 18, 19, 20

Gardes, 21, 22, 23, 24, 25, 26, 27, 28, 29, 30, 31, 32, 33, 34, 35, 36, 37, 38, 39, 40, 41, 42, 43, 44, 45, 46, 47, 48

Intendant, 49

Seigneur, 50

Sacs, 51, 52, 53, 54, 55, 56, 57, 58, 59, 60, 61, 62, 63, 64, 65, 66, 67, 68, 69, 70, 71, 72, 73, 74, 75, 76, 77

Tonneaux, 78, 79, 80, 81, 82, 83, 84, 85, 86, 87, 88, 89, 90, 91, 92, 93, 94, 95, 96, 97, 98, 99, 101, 102, 103, 104, 105

Garde à la garde-robe, 106

Dame brodant sa tapisserie, 107

Seaux, 108, 109, 110, 111, 112, 113, 114, 115, 116, 117, 118, 119, 120, 121, 122, 123, 124, 125, 126

Clerc, 127

Serviteur qui dégringole, 128

Marchands, 129, 130, 131

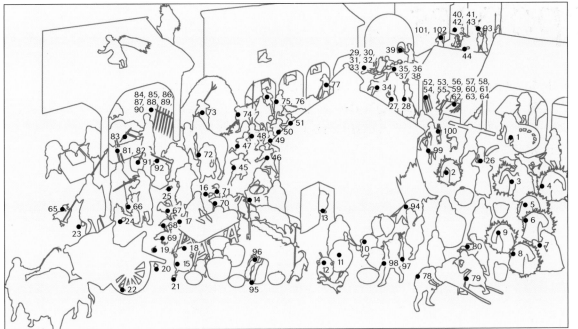

Dans la basse-cour 106-107

Menuisier fabriquant une roue, 1

Tuniques en train de sécher, 2, 3, 4, 5, 6, 7, 8, 9

Chaudrons, 10, 11, 12, 13, 14, 15

Navets, 16, 17, 18, 19, 20, 21, 22, 23, 24, 25

Laitières, 26, 27, 28

Miches de pain, 29, 30, 31, 32, 33, 34, 35, 36, 37, 38, 39, 40, 41, 42, 43, 44

Enfants jouant au ballon, 45, 46, 47, 48, 49, 50, 51

Flèches, 52, 53, 54, 55, 56, 57, 58, 59, 60, 61, 62, 63, 64

Oies, 65, 66, 67, 68, 69, 70, 71

Maréchal-ferrant, 72

Valets d'écurie, 73, 74, 75, 76, 77

Rémouleurs, 78, 79, 80

Épées, 81, 82, 83, 84, 85, 86, 87, 88, 89, 90, 91, 92

Biches, 93, 94

Lapins, 95, 96, 97, 98, 99, 100, 101, 102

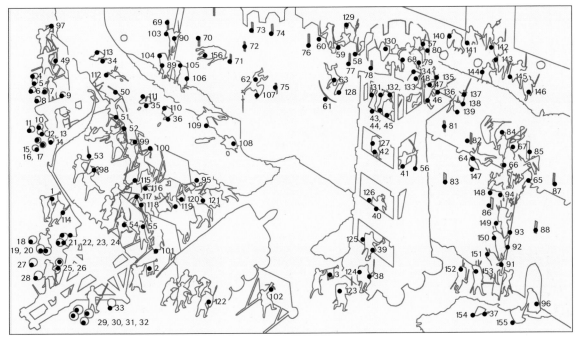

Le siège 108-109

Trompettes, 1, 2, 3

Pierres, 4, 5, 6, 7, 8, 9, 10, 11, 12, 13, 14, 15, 16, 17, 18, 19, 20, 21, 22, 23, 24, 25, 26, 27, 28, 29, 30, 31, 32, 33

Nageurs, 34, 35, 36, 37

Hommes dans le beffroi, 38, 39, 40, 41, 42, 43, 44, 45, 46, 47, 48

Arcs, 49, 50, 51, 52, 53, 54, 55, 56, 57, 58, 59, 60, 61

Défenseurs en train de tomber, 62, 63, 64

Marmites bouillantes, 65, 66, 67, 68

Meurtrières, 69, 70, 71, 72, 73, 74, 75, 76, 77, 78, 79, 80, 81, 82, 83, 84, 85, 86, 87, 88

Assaillants en train de grimper ou de tomber, 89, 90, 91, 92, 93, 94

Masse, 95

Espion, 96

Arbalètes, 97, 98, 99, 100, 101, 102

Boucliers, 103, 104, 105, 106, 107, 108, 109, 110, 111, 112, 113, 114, 115, 116, 117, 118, 119, 120, 121, 122, 123, 124, 125, 126, 127, 128, 129, 130, 131, 132, 133, 134, 135, 136, 137, 138, 139, 140, 141, 142, 143, 144, 145, 146, 147, 148, 149, 150, 151, 152, 153, 154, 155

Vache catapultée, 156

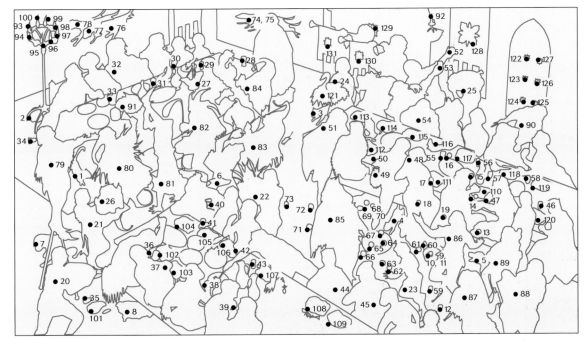

Le banquet 110-111

Chats, 1, 2, 3, 4

Chiens, 5, 6, 7, 8

Boules à jongler, 9, 10, 11, 12, 13, 14, 15, 16, 17, 18, 19

Serviteurs, 20, 21, 22, 23, 24, 25

Château en pâte d'amandes, 26

Salière, 27

Timbales, 28, 29, 30, 31, 32, 33, 34, 35, 36, 37, 38, 39, 40, 41, 42, 43, 44, 45, 46, 47, 48, 49, 50, 51, 52, 53, 54, 55, 56, 57, 58

Pâtés, 59, 60, 61, 62, 63, 64, 65, 66, 67, 68, 69, 70, 71, 72, 73

Chiens sur les tapisseries murales, 74, 75, 76, 77, 78

Ménestrels et baladins, 79, 80, 81, 82, 83, 84, 85, 86, 87, 88, 89, 90

Tête de sanglier, 91

Chandelles, 92, 93, 94, 95, 96, 97, 98, 99, 100

Tranches de pain, 101, 102, 103, 104, 105, 106, 107, 108, 109, 110, 111, 112, 113, 114, 115, 116, 117, 118, 119, 120

Cygne farci, 121

Emblèmes de la famille, 122, 123, 124, 125, 126, 127, 128, 129, 130, 131

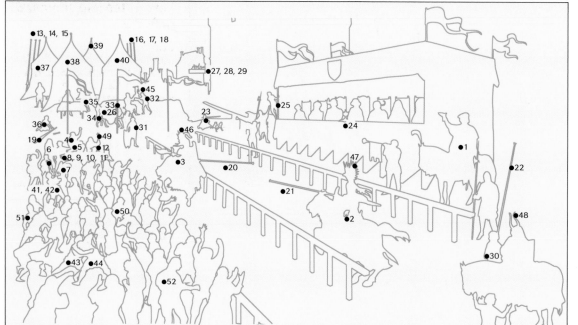

Le tournoi 112-113

Héraut, 1
Gages d'amour, 2, 3
Pâtés, 4, 5, 6, 7, 8, 9, 10, 11, 12
Lances, 13, 14, 15, 16, 17, 18, 19, 20, 21, 22
Page en train de jouter, 23
Coupe, 24
Page en hauteur, 25
Chevalier blessé, 26
Dames au balcon, 27, 28, 29
Écuyers, 30, 31, 32, 33, 34, 35, 36
Pavillons, 37, 38, 39, 40
Lutteurs, 41, 42, 43, 44
Heaumes à cimier, 45, 46, 47, 48
Prêtres, 49, 50
Voleurs, 51, 52

Le logis familial 114-115

Cuisinier, 1
Marionnettes, 2, 3, 4, 5, 6, 7, 8
Écuyers, 9, 10
Hochet, 11
Tissus brodés, 12, 13, 14
Manuscrits, 15, 16, 17, 18, 19
Mère du seigneur, 20
Faucons, 21, 22, 23, 24, 25, 26
Chevaux à bascule, 27, 28, 29, 30, 31, 32
Intendant, 33
Connétable, 34
Chiens, 35, 36, 37, 38, 39, 40, 41, 42, 43, 44, 45, 46, 47, 48
Toupies, 49, 50, 51, 52
Pièce du jeu d'échecs, 53
Cors de chasse, 54, 55, 56, 57, 58, 59

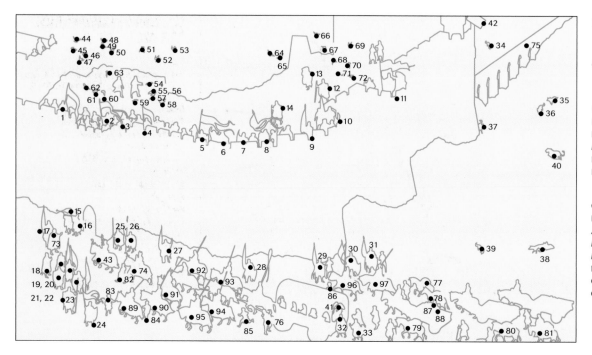

Un château de croisés 116-117

Chevaliers hospitaliers, 1, 2, 3, 4, 5, 6, 7, 8, 9, 10, 11, 12, 13, 14, 15, 16, 17, 18, 19, 20, 21, 22, 23, 24, 25, 26, 27, 28, 29, 30, 31, 32, 33
Loups, 34, 35, 36, 37, 38, 39
Lion, 40
Dame évanouie, 41
Moulin, 42
Roi, 43
Pigeons, 44, 45, 46, 47, 48, 49, 50, 51, 52, 53, 54, 55, 56, 57, 58, 59, 60, 61, 62, 63, 64, 65, 66, 67, 68, 69, 70, 71, 72
Chef des gardes, 73
Évêque, 74
Aqueduc, 75
Ménestrel, 76
Mules, 77, 78, 79, 80, 81
Écuyers, 82, 83, 84, 85, 86, 87
Chevalier blessé, 88
Chevaliers sur leur monture, 89, 90, 91, 92, 93, 94, 95, 96, 97

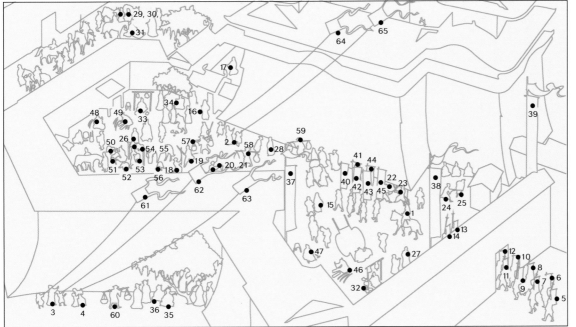

Une forteresse samouraï 118-119

Daimyo, 1
Nourrices, 2, 3, 4
Drapeaux, 5, 6, 7, 8, 9, 10, 11, 12, 13, 14
Corbeilles de linge, 15, 16, 17
Samouraïs se battant avec des sabres en bois, 18, 19, 20, 21, 22, 23, 24, 25
Prêtres, 26, 27, 28
Marchands, 29, 30, 31
Ferronniers, 32, 33
Poète, 34
Musiciens, 35, 36
Bannières, 37, 38, 39, 40, 41, 42, 43, 44, 45
Fabricants d'épées, 46, 47, 48, 49
Selles, 50, 51, 52, 53, 54, 55, 56
Paysans, 57, 58, 59, 60
Cerfs-volants, 61, 62, 63, 64, 65

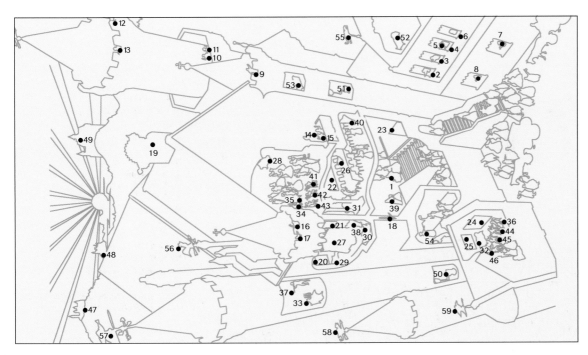

Un fort moghol 120-121

Empereur, 1
Dames, 2, 3, 4, 5, 6, 7, 8, 9, 10, 11, 12, 13, 14, 15, 16, 17, 18, 19, 20
Mousquets, 21, 22, 23, 24
Tambours, 25, 26, 27, 28
Cornets, 29, 30, 31, 32, 33, 34, 35, 36, 37
Cymbales, 38, 39
Éventails, 40, 41
Prince, 42
Bâtons décorés, 43, 44, 45, 46, 47, 48, 49
Cadeaux présentés sur des coussins, 50, 51, 52, 53
Parure de turban, 54
Peintre, 55
Serpents, 56, 57, 58, 59, 60, 61, 62, 63, 64
Paons, 65, 66, 67, 68, 69, 70, 71, 72, 73, 74
Singes, 75, 76, 77, 78, 79, 80

Un château romantique 122-123

Roi, 1
Invités faisant signe à leurs amis, 2, 3, 4, 5, 6, 7, 8, 9, 10, 11, 12, 13, 14, 15, 16, 17, 18
Dragon de pierre, 19
Tableaux, 20, 21, 22, 23, 24, 25
Saladier en forme de cygne, 26
Lit du roi, 27
Canapés, 28, 29, 30, 31, 32
Poète, 33
Violoncelles, 34, 35, 36
Flûte, 37
Harpes, 38, 39, 40
Violons, 41, 42, 43, 44, 45, 46
Châteaux, 47, 48, 49
Toilettes, 50, 51
Lits des domestiques, 52, 53
Chef cuisinière, 54
Girouettes, 55, 56, 57, 58, 59

Test de mémoire

De quoi te souviens-tu à propos de Dans les châteaux ? Essaie de répondre à ces questions pour le savoir. Tu trouveras les réponses page 172.

Un des premiers châteaux
1. Comment s'appelait la partie fermée des premiers châteaux ?

    A La basse.
    B La basse-cour.
    C Le bassin.
    D Le basset.

Dans le donjon
2. Comment s'appelaient les toilettes d'un château ?

    A L'armoire.
    B Le bunker.
    C Le garde-manger.
    D La garde-robe.

Dans la basse-cour
3. Qui taillait les hampes en bois des flèches ?

    A Les facteurs d'arcs.
    B Les tailleurs.
    C Les menuisiers.
    D Les ménestrels.

Le siège
4. Que ne lançait-on pas lors d'un siège ?

    A Des vaches mortes.
    B Des grosses pierres.
    C Du liquide bouillant.
    D Des hamsters empoisonnés.

Le banquet
5. De quoi se servaient certains en guise d'assiette ?

    A D'une peau de cerf.
    B Des mains d'un serviteur.
    C D'une tranche de viande.
    D D'une tranche de pain.

Le tournoi
6. Qui annonçait les noms des chevaliers ?

    A Une harpie.
    B Un héraut.
    C Un héron.
    D Un héros.

Un des premiers châteaux
7. Comment s'appelait l'arme de tournoi des chevaliers ?

    A Une anse.
    B Une ganse.
    C. Une dague.
    D Une lance.

Le logis familial
8. Les ouvrages écrits à la main s'appelaient :

    A Des manuscrits.
    B Des maniques.
    C Des dictionnaires.
    D Des mannequins.

Un château de croisés
9. Comment s'appelaient certains croisés ?

    A Les Chanceliers.
    B Les Hospitaliers.
    C Les Dérangés
    D Les Cannibales.

Une forteresse samouraï
10. De quoi étaient faits les plastrons des samouraïs ?

    A De lattes en bois.
    B De lanières en cuir.
    C De bandes de métal.
    D De bandes son.

Un fort moghol
11. Que portaient les courtisans d'un prince indien ?

    A Des sacs remplis d'or.
    B Des animaux exotiques.
    C Le prince lui-même.
    D Des bâtons décorés.

Un château romantique
12. Qu'est-ce qui ornait le sommet des toits ?

    A Des girouettes
    B Des girafes.
    C Des gigots.
    D Des gifles.

CACHE-CACHE
DINOSAURES

Illustrations : Studio Galante
et Inklink Firenze

Sommaire

Au sujet de cette partie

Cette partie du livre présente les dinosaures et le monde dans lequel ils ont vécu. En observant attentivement les scènes, tu découvriras des centaines de dinosaures et autres animaux ou plantes qui vivaient à la même époque. Voici comment jouer.

Le texte figurant à côté de chaque image donne le nom de l'animal ou de la plante, ainsi que le nombre d'individus à chercher sur la grande illustration.

Observe attentivement pour retrouver tous les dinosaures au loin.

Le Crétacé supérieur : 110 à 64 millions d'années

Le désert aride

Les dinosaures des régions désertiques de la Mongolie et la Chine actuelles affrontèrent de terribles tempêtes de sable. Certains furent enterrés vivants dans les dunes, d'autres moururent étouffés.

Oviraptor faisait un nid pour ses œufs et les couvait jusqu'à l'éclosion. Il y en a douze.

Psittacosaurus avait un bec osseux, tel celui d'un perroquet. Il y a quatre adultes et six petits.

Tarbosaurus pourchassait ses proies en réalisant de fortes pointes de vitesse. Il y en a un.

Saurolophus avait une crête osseuse au sommet du crâne. Cherches-en quatre.

Ce lézard se nourrissait d'œufs de dinosaure. Il y en a huit.

S'il était attaqué, Pinacosaurus se défendait avec la lourde masse au bout de sa queue. Trouves-en deux.

Protoceratops pondait ses œufs dans un nid dans le sable. Il y en a cinq.

Microceratops était à peu près de la taille d'un lapin. Il y en a quinze.

Saurornithoides avait de gros yeux et peut-être voyait-il dans le noir. Trouves-en dix.

Trouve cinq petits mammifères. Ils chassaient les insectes pour les manger.

Bactrosaurus mâchait les feuilles à l'aide de ses centaines de dents. Il y en a sept.

Avec ses plumes, Avimimus était peu commun. Trouves-en sept.

Gallimimus courait sur ses pattes arrière, tel qu'une autruche, mais n'avait pas de plumes. Il y en a onze.

Homalocephale, au crâne épais doté de bosses sur les côtés. Il y en a trois.

Velociraptor signifie « tueur véloce ». C'était un carnivore très féroce. Trouves-en six.

146

Ce Protoceratops en train d'éclore compte quand même pour un.

Ce lézard sortant de l'illustration compte également comme une image.

Ces jeunes dinosaures comptent aussi.

Même les animaux en partie représentés comptent.

Chaque grande illustration contient une centaine d'animaux à trouver. Les réponses figurent aux pages 156 à 159. Les animaux représentés ne sont pas tous des dinosaures ; le symbole à droite signale ceux qui le sont. Dans la réalité autant d'animaux ne seraient jamais rassemblés en même temps au même endroit.

Symbole de dinosaure

Mers peu profondes

Il y a plus de 400 millions d'années, les mers siluriennes renfermaient d'étranges animaux. Beaucoup ont disparu, mais certains, telles éponges et méduses, peuplent toujours les océans.

Heterostraci

Thelodont

Anapside

Ces poissons aspiraient par la bouche eau et nourriture. En vois-tu sept de chaque espèce ?

Les méduses ressemblaient aux méduses actuelles. Trouves-en cinq.

Trouve quatorze brachiopodes. Ces animaux avaient un pied charnu qu'ils enfonçaient dans le sable.

Les oursins rampaient lentement sur le fond de la mer. Repères-en huit.

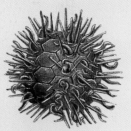

Les lis des mers étaient des animaux et non des plantes. Ils attrapaient leur nourriture avec leurs bras mobiles. Trouves-en quinze.

Cherche quatorze escargots de mer à coquille.

Le Nostolepis était l'un des premiers poissons à avoir mâchoires et dents. Trouves-en treize.

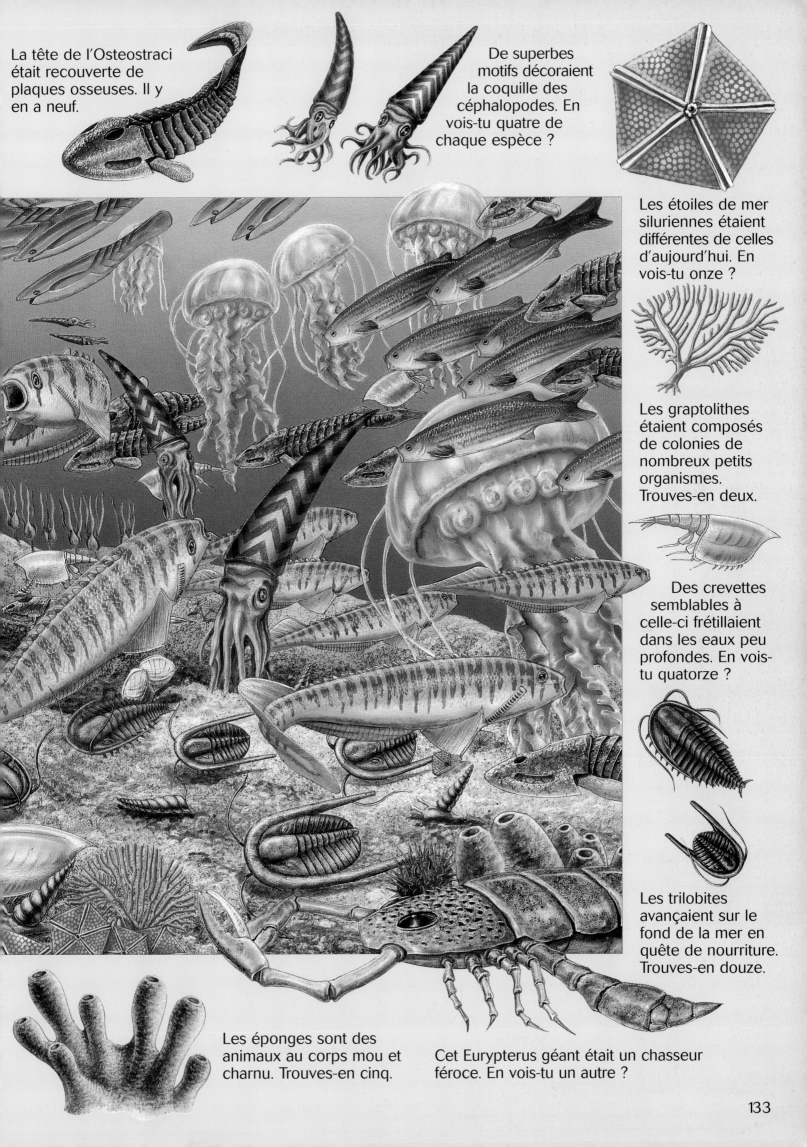

La tête de l'Osteostraci était recouverte de plaques osseuses. Il y en a neuf.

De superbes motifs décoraient la coquille des céphalopodes. En vois-tu quatre de chaque espèce ?

Les étoiles de mer siluriennes étaient différentes de celles d'aujourd'hui. En vois-tu onze ?

Les graptolithes étaient composés de colonies de nombreux petits organismes. Trouves-en deux.

Des crevettes semblables à celle-ci frétillaient dans les eaux peu profondes. En vois-tu quatorze ?

Les trilobites avançaient sur le fond de la mer en quête de nourriture. Trouves-en douze.

Les éponges sont des animaux au corps mou et charnu. Trouves-en cinq.

Cet Eurypterus géant était un chasseur féroce. En vois-tu un autre ?

La vie sur terre

Voici 400 millions d'années, les poissons à poumons qui respiraient de l'air sortirent de l'eau. Pendant des millions d'années ils évoluèrent, jusqu'à posséder des pattes pour marcher et à vivre sur la terre.

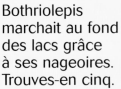

Bothriolepis marchait au fond des lacs grâce à ses nageoires. Trouves-en cinq.

Trouve neuf lycopodes, plantes à tige branchue couverte de petites feuilles écailleuses.

Aglaophyton fut peut-être une des premières plantes à pousser sur terre. Trouves-en six.

Voici des œufs d'Ichthyostega. Vois-tu quatre amas ?

Ichthyostega pouvait marcher sur la terre, mais avait aussi une queue de poisson. Cherches-en quatre.

La tête de Groenlandaspis, un poisson, était protégée de plaques osseuses. Il y en a cinq.

Trouve un Ctenacanthus. Il ressemblait au requin et se glissait dans l'eau en quête de proies.

Trouve deux Ichthyostegopsis. Avec ses pattes en forme de nageoire, il était un bon nageur.

Panderichthys possédait quatre nageoires semblables à des pattes. En vois-tu trois ?

Trouve seize prêles, encore présentes de nos jours dans les régions marécageuses.

Ces coléoptères aquatiques étaient semblables à ceux d'aujourd'hui. En vois-tu neuf ?

Les cloportes ont été parmi les premiers animaux à s'installer sur terre. Il y en a dix.

Les crevettes se nourrissaient de minuscules particules flottant dans l'eau. En vois-tu quinze ?

Avec des branchies de poisson, Acanthostega pouvait respirer sous l'eau. Trouves-en sept.

Le Mimia n'était pas plus grand que ton pouce. Cherches-en dix-huit.

Eusthenopteron se servait de ses nageoires pour se hisser sur les berges des lacs et des rivières. En vois-tu trois ?

Les insectes géants

Dans les marécages brumeux du Carbonifère, d'énormes insectes bourdonnaient dans les airs et de venimeuses bestioles rampaient dans la végétation épaisse.

Pholidogaster était un puissant nageur et un chasseur féroce. Cherches-en deux.

Meganeura avait une envergure de la longueur d'un bras humain. En vois-tu quatre ?

Plates, les blattes pouvaient se glisser dans les interstices les plus étroits. Trouves-en quinze.

La scolopendre Arthropleura pouvait mesurer 2 m ! Cherches-en six.

Le mot Hylonomus signifie « souris des forêts ». Il y en a sept.

Trouve six Gephyrostegus. Grâce à ses dents acérées, il pouvait mâcher les insectes.

Les scorpions géants pouvaient tuer d'autres animaux en les piquant. Trouves-en trois.

Les premiers escargots sont apparus sur la terre ferme à cette époque. Avant, ils vivaient dans l'eau. En vois-tu dix ?

Archaeothyris tuait ses proies avec ses puissantes mâchoires. Trouves-en trois.

Le microsaure ressemblait à un lézard. Il vivait sur terre mais pondait ses œufs dans l'eau. Il y en a onze.

Dépourvu de membres, Ophiderpeton avait l'aspect d'une anguille. En vois-tu cinq ?

Trouve sept araignées. Elles tissaient de simples toiles pour capturer leur proie.

Trouve dix Westlothiana. Ce reptile pondait des œufs à la coquille dure et vivait sur la terre ferme.

Le mille-pattes géant mangeait des feuilles en décomposition. Trouves-en cinq.

De la taille d'un crocodile, Eogyrinus attrapait les poissons avec ses mâchoires puissantes. Il y en a quatre.

Gerrothorax vivait tapi au fond des rivières, à l'affût des poissons qui passaient. Cherches-en un.

Paysage rocheux

De nombreux animaux terrestres sont apparus au Permien. Les plus spectaculaires avaient de grandes membranes de peau sur le dos. Beaucoup ont disparu avant l'apparition des dinosaures.

Avec ses puissantes dents pointues, Yougina cassait la coquille des escargots. Trouves-en trois.

Pareiasaurus était aussi gros qu'un hippopotame. Trouves-en trois.

Protorosaurus se dressait sur ses pattes arrière pour attraper des insectes. En vois-tu quatre ?

Sphenacodon avait une crête le long du dos. Il y en a six.

Seymouria était maladroit sur terre. Il passait le plus clair de son temps dans l'eau. Trouves-en trois.

On sait que le Sauroctonus était un carnivore car il avait des dents longues et pointues. Il y en a quatre.

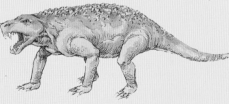

Les pattes de Diadectes, attachées sur les côtés du corps, lui donnaient un air de lézard. Trouves-en sept.

Edaphosaurus se réchauffait en exposant sa voile au soleil, ce qui augmentait la température du sang. Il y en a onze.

Moschops était aussi gros qu'une vache actuelle. Trouves-en quatre.

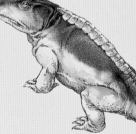

Cacops avait une tête énorme par rapport à la taille de son corps. En vois-tu neuf ?

La voile de Dimetrodon était tendue sur les longues pointes osseuses de son dos. Il y en a cinq.

Eryops était un lointain parent des grenouilles modernes. En vois-tu deux ?

Anteosaurus arrachait la chair de ses proies et avalait des lambeaux entiers. Trouves-en deux.

Casea avait un palais tapissé de dents pour mieux broyer les plantes. Trouves-en quatre.

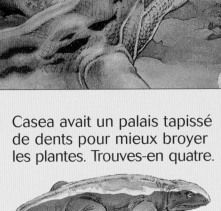

Scutosaurus avait la peau épaisse et des pointes sur les joues. Il y en a trois.

Le cou de Bradysaurus était protégé par une collerette. Trouves-en un.

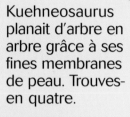

Les premiers dinosaures

Il y a 225 millions d'années, les premiers dinosaures apparurent. Cette scène présente six espèces différentes de dinosaures, ainsi que quelques autres animaux étranges qui vivaient alors.

Kuehneosaurus planait d'arbre en arbre grâce à ses fines membranes de peau. Trouves-en quatre.

Cynognathus ressemblait à un petit chien mais il avait une peau écailleuse. Trouves-en un.

Terrestrisuchus était à peu près de la même taille qu'un écureuil. En vois-tu huit ?

On pense que le Staurikosaurus chassait en hordes. En vois-tu sept ?

Le Plateosaurus pouvait se dresser sur ses pattes arrière. Trouves-en six sur l'image.

Les naseaux de Rutiodon étaient situés sur le sommet de sa tête, entre les yeux. Trouves-en deux.

Grâce à ses longues pattes puissantes, le Ticinosuchus était rapide. Il y en a cinq.

Saltopus, un dinosaure, parcourait les rochers à la recherche de lézards à manger. Trouves-en dix.

Vue perçante et vitesse faisaient de Syntarsus un chasseur habile. Trouves-en quatre.

Peteinosaurus était l'un des premiers lézards volants. Trouves-en trois.

Placerias vivait en troupeau et parcourait de grandes distances pour se nourrir. Il y en a dix.

Desmatosuchus avait de longues pointes au niveau des épaules. En vois-tu trois ?

Coelophysis était un chasseur habile. Cherches-en sept.

Anchisaurus – 2,50 m de long – était l'un des premiers dinosaures. Trouves-en cinq.

Stagonolepis déterrait sans doute des racines avec son museau. En vois-tu quatre ?

Thrinaxodon était poilu et avait des moustaches. En vois-tu cinq ?

Dans la forêt

C'est l'époque des plus grands dinosaures que la Terre ait jamais connus. Ces géants se nourrissaient de la végétation luxuriante qui proliférait dans le climat chaud et humide.

Les naseaux du Brachiosaurus se trouvaient sur une bosse sur sa tête. Il y en a un.

Pterodactylus gobait les insectes tout en volant. Cherches-en dix.

Apatosaurus avalait les feuilles entières car il ne pouvait pas mâcher. Il y en a cinq.

Pourchassé, Camptosaurus courait sur ses pattes arrière. En vois-tu deux ?

Ceratosaurus était un carnivore féroce doté de 70 crocs acérés. Cherches-en un.

Compsognathus, pas plus grand qu'un chat, était un des plus petits dinosaures connus. Trouves-en huit.

Trouve trois Camarasaurus. Il mangeait les feuilles des branches basses.

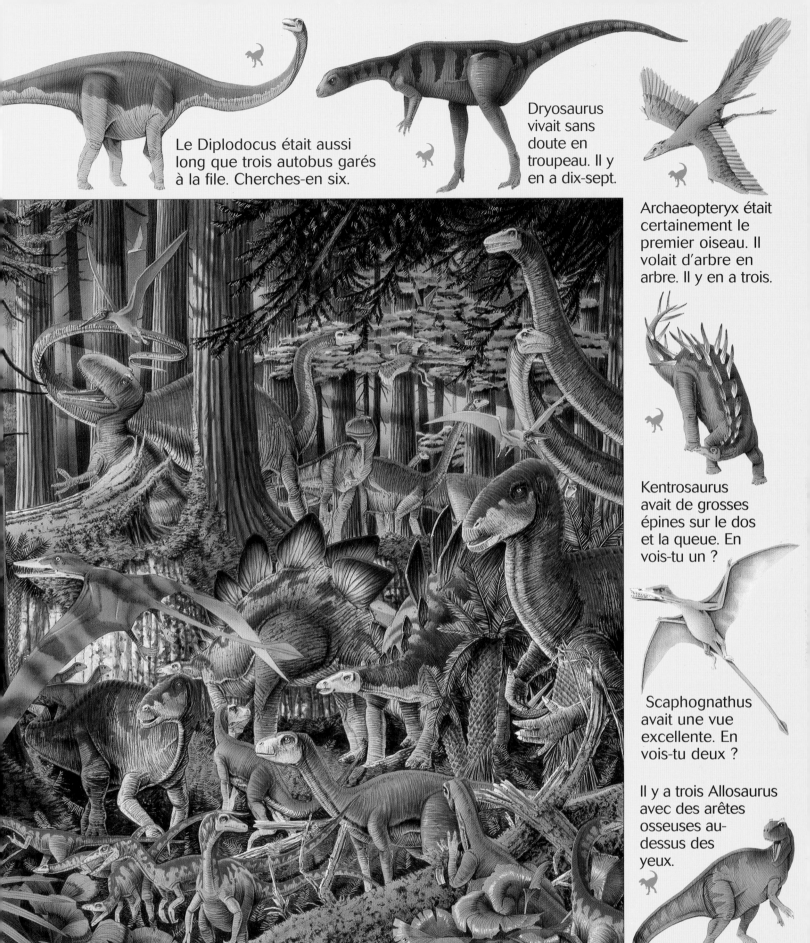

Le Diplodocus était aussi long que trois autobus garés à la file. Cherches-en six.

Dryosaurus vivait sans doute en troupeau. Il y en a dix-sept.

Archaeopteryx était certainement le premier oiseau. Il volait d'arbre en arbre. Il y en a trois.

Kentrosaurus avait de grosses épines sur le dos et la queue. En vois-tu un ?

Scaphognathus avait une vue excellente. En vois-tu deux ?

Il y a trois Allosaurus avec des arêtes osseuses au-dessus des yeux.

Ornitholestes attrapait lézards et autres petites bêtes avec ses griffes. Il y en a trois.

Coelurus avait de longues pattes et courait vite pour attraper ses proies. Il y en a deux.

Les plaques sur le dos de Stegosaurus absorbaient peut-être la chaleur du soleil. Il y en a deux.

Dans l'océan

Au Jurassique, alors que les dinosaures parcouraient la terre, d'énormes reptiles nageaient dans les vastes océans. Il y a 87 animaux sur ces deux pages. Essaie de les trouver.

Le corps de Pleurosaurus était long et sa queue encore plus. En vois-tu quatre ?

Avec ses cinq longs bras l'ophiure existe toujours dans nos océans. En vois-tu huit ?

Plesiosaurus battait doucement des nageoires comme une tortue de mer. Trouves-en deux.

Dès qu'il arrêtait de nager, le requin coulait au fond de l'océan. Trouves-en six.

Liopleurodon mangeait d'autres gros animaux marins comme l'ichtyosaure. Il y en a un.

Pleurosternon devait remonter à la surface pour respirer. En vois-tu deux ?

Rhomaleosaurus était aussi gros et aussi féroce que l'orque actuel. Trouves-en deux.

144

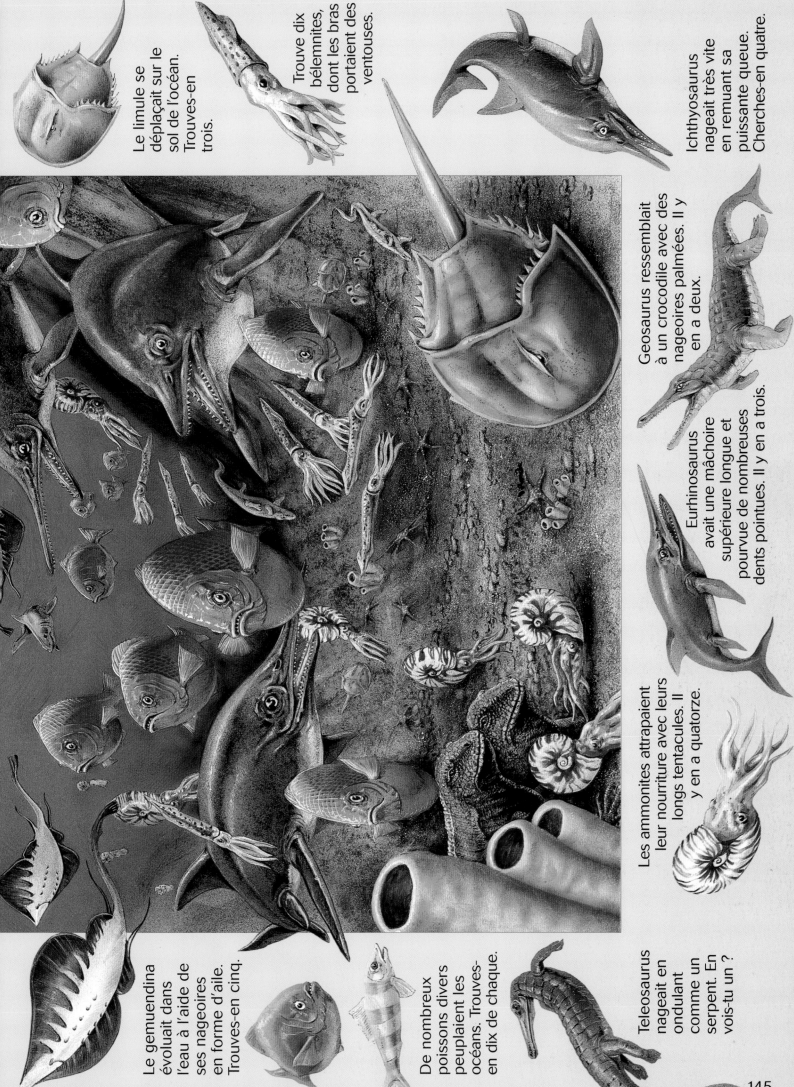

Le limule se déplaçait sur le sol de l'océan. Trouves-en trois.

Trouve dix bélemnites, dont les bras portaient des ventouses.

Ichthyosaurus nageait très vite en remuant sa puissante queue. Cherches-en quatre.

Geosaurus ressemblait à un crocodile avec des nageoires palmées. Il y en a deux.

Eurhinosaurus avait une mâchoire supérieure longue et pourvue de nombreuses dents pointues. Il y en a trois.

Les ammonites attrapaient leur nourriture avec leurs longs tentacules. Il y en a quatorze.

Le gemuendina évoluait dans l'eau à l'aide de ses nageoires en forme d'aile. Trouves-en cinq.

De nombreux poissons divers peuplaient les océans. Trouves-en dix de chaque.

Teleosaurus nageait en ondulant comme un serpent. En vois-tu un ?

145

Le désert aride

Les dinosaures des régions désertiques de la Mongolie et la Chine actuelles affrontèrent de terribles tempêtes de sable. Certains furent enterrés vivants dans les dunes, d'autres moururent étouffés.

Oviraptor faisait un nid pour ses œufs et les couvait jusqu'à l'éclosion. Il y en a douze.

Psittacosaurus avait un bec osseux, tel celui d'un perroquet. Il y a quatre adultes et six petits.

Tarbosaurus pourchassait ses proies en réalisant de fortes pointes de vitesse. Il y en a un.

Saurolophus avait une crête osseuse au sommet du crâne. Cherches-en quatre.

Ce lézard se nourrissait d'œufs de dinosaure. Il y en a huit.

S'il était attaqué, Pinacosaurus se défendait avec la lourde masse au bout de sa queue. Trouves-en deux.

Protoceratops pondait ses œufs dans un nid dans le sable. Il y en a cinq.

Microceratops était à peu près de la taille d'un lapin. Il y en a quinze.

Saurornithoides avait de gros yeux et peut-être voyait-il dans le noir. Trouves-en dix.

Trouve cinq petits mammifères. Ils chassaient les insectes pour les manger.

Bactrosaurus mâchait les feuilles à l'aide de ses centaines de dents. Il y en a sept.

Velociraptor signifie « tueur véloce ». C'était un carnivore très féroce. Trouves-en six.

Gallimimus courait sur ses pattes arrière, tel qu'une autruche, mais n'avait pas de plumes. Il y en a onze.

Avec ses plumes, Avimimus était peu commun. Trouves-en sept.

Homalocephale, au crâne épais doté de bosses sur les côtés. Il y en a trois.

Les derniers dinosaures

Durant le Crétacé supérieur, un plus grand nombre d'espèces de dinosaures peuplait la Terre qu'à aucune autre époque. Puis, il y a environ 64 millions d'années, ils disparurent subitement.

Parasaurolophus faisait des bruits de trompette avec sa crête tubulaire. Il y en a six.

Malgré son aspect féroce, **Styracosaurus** ne mangeait que des plantes. Le vois-tu ?

Corythosaurus avait sur la tête une crête en forme de casque. Il y en a trois.

Edmontosaurus vivait en groupe pour se protéger des prédateurs. Cherches-en huit.

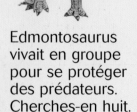

Panoplosaurus avait des pointes sur les côtés, mais était vulnérable sous le ventre. En vois-tu deux ?

Pachycephalosaurus. Trouve cinq mâles, qui s'affrontaient dans des combats à coups de tête.

Triceratops pesait deux fois plus lourd qu'un éléphant. Cherche quatre adultes et deux petits.

Euoplocephalus devait frapper ses assaillants avec la masse au bout de sa queue. Il y en a trois.

Cherche un Tyrannosaurus. Chasseur féroce, il était plus grand que la girafe actuelle.

Stenonychosaurus était-il intelligent ? Il avait un gros cerveau. En vois-tu sept ?

Ichtyornis était un des premiers oiseaux. Trouves-en six.

Struthiomimus ressemblait à une autruche sans plumes. Il y en a neuf.

Stegoceras appartenait à un groupe de dinosaures dits « au crâne épais ». Cherches-en sept.

Pentaceratops possédait une collerette autour du cou qui lui recouvrait la moitié du dos. Trouves-en trois.

Nodosaurus signifie « reptile à nodules ». Cherches-en deux.

Dromaeosaurus chassait en horde des animaux plus gros que lui. Il y en a douze.

Mammifères des bois

Quand les dinosaures disparurent, les mammifères prirent leur place. C'étaient des animaux à sang chaud recouverts de fourrure ou de poils. Ils donnaient naissance à des petits formés qu'ils allaitaient.

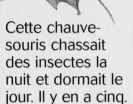

Avec ses quatre pattes puissantes, Tetonis s'agrippait aux branches. Il y en a cinq.

Cette chauve-souris chassait des insectes la nuit et dormait le jour. Il y en a cinq.

Hyrachus était de la taille d'un cochon et courait très vite. Trouves-en six.

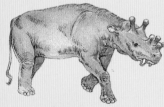

Uintatherium était de la taille d'un rhinocéros et avait six bosses sur la tête. Il y en a un.

Smilodectes grimpait aux arbres en s'équilibrant avec sa longue queue. Il y en a quatre.

Hyracotherium était un parent éloigné et primitif du cheval. En vois-tu onze ?

Coryphodon utilisait sans doute ses défenses recourbées pour se défendre. En vois-tu trois ?

Mesonyx avait des
dents de chien
mais des sabots à
la place des pieds.
Trouves-en trois.

Diatryma était un
oiseau gigantesque. Il
mesurait 2 m de haut.
Cherches-en deux.

Notharctus
ressemblait à
un petit singe.
Trouves-en sept.

Leptictidium était
un omnivore : il
mangeait plantes
et animaux. En
vois-tu huit ?

Oxyaena était
un chasseur aux
allures de félin.
Trouves-en deux.

Il y a trois serpents
venimeux, qui
dormaient enroulés
autour des branches.

Trouve un Moeritherium. Il devait
vivre dans l'eau ou aux alentours.

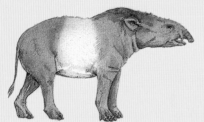

Eomanis n'avait pas de dents.
Il lapait les fourmis avec sa
longue langue. Il y en a deux.

Archaeotherium
dénichait des
racines grâce
à son odorat
développé.
Cherches-
en dix.

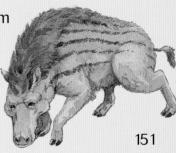

151

Les glaciations

Lors des glaciations, le climat variait entre très chaud et extrêmement froid, avec neige et glace. Voici quelques-uns des animaux qui peuplaient la planète durant ces périodes.

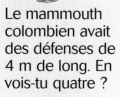

Le mammouth colombien avait des défenses de 4 m de long. En vois-tu quatre ?

Le bison à longues cornes voyait très mal. Trouves-en douze.

Le rhinocéros laineux cherchait de l'herbe sous la neige avec sa corne. Il y en a un.

Trouve un lion des cavernes. Le mâle, plus grand que le lion actuel, n'avait pas de crinière.

Le chameau de l'ouest emmagasinait de l'eau dans sa bosse, tout comme celui d'aujourd'hui. En vois-tu deux ?

Les loups dire broyaient les os avec leurs dents puissantes. Trouves-en six.

Le paresseux terrestre avait des bosses osseuses sous la peau en guise de protection. Il y en a un.

Teratornis descendait en piqué sur les carcasses d'animaux morts. Trouves-en deux.

L'ours des cavernes se réfugiait dans une grotte pour dormir quand il faisait très froid. Trouves-en deux.

Le loup gris vivait et chassait en harde d'une dizaine de bêtes. Il y en a sept.

Sur la neige, le loup ne voyait pas le lièvre arctique à poil blanc. Trouves-en sept.

Des troupeaux de bisons primitifs parcouraient les plaines. Trouves-en neuf.

Le renne avait de gros sabots pour ne pas s'enfoncer dans la neige. En vois-tu dix ?

Trouve deux félins aux dents de sabre (Smilodon). Il tuait sa proie avec ses crocs.

La fourrure épaisse et touffue du mammouth laineux lui tenait chaud. En vois-tu quatre ?

Le cheval de l'ouest (en Amérique du Nord) a disparu voilà 10 000 ans environ. Il y en a douze.

La disparition des dinosaures

Voilà environ 64 millions d'années, presque tous les dinosaures ont disparu. Personne ne sait précisément pourquoi. Selon les scientifiques, une gigantesque météorite venant de l'espace et mesurant 10 km de large serait entrée en collision avec la Terre.

La mort des animaux

Cela aurait provoqué la mort des espèces qui avaient besoin de chaleur pour vivre. Sans lumière, beaucoup de plantes ont dû aussi disparaître, privant de nombreux dinosaures de nourriture. Il se peut aussi que la météorite ait provoqué d'énormes tremblements de terre et des raz de marée.

Des nuages de poussière

En percutant la Terre, la météorite aurait provoqué un énorme incendie qui se serait propagé partout. La météorite aurait volé en éclats, projetant dans l'atmosphère terrestre un épais nuage de poussière, de roches et d'eau. Ce nuage aurait fait écran à la lumière du soleil, rendant ainsi la planète sombre et froide pendant des mois.

Ce dessin donne un aperçu de ce qui a pu se passer lorsque la météorite a percuté la Terre.

De gigantesques nuages de poussière se répandirent tout autour de la Terre, asphyxiant les animaux.

Des morceaux de roche volèrent partout, tuant ou blessant les animaux.

Questions sur les dinosaures

Tu as déjà rencontré les dinosaures ci-dessous tout le long des pages de cette partie. Qu'as-tu retenu sur chacun ?

Il faudra peut-être te reporter aux pages précédentes. Si tu es vraiment coincé, tu trouveras les réponses à la page 172.

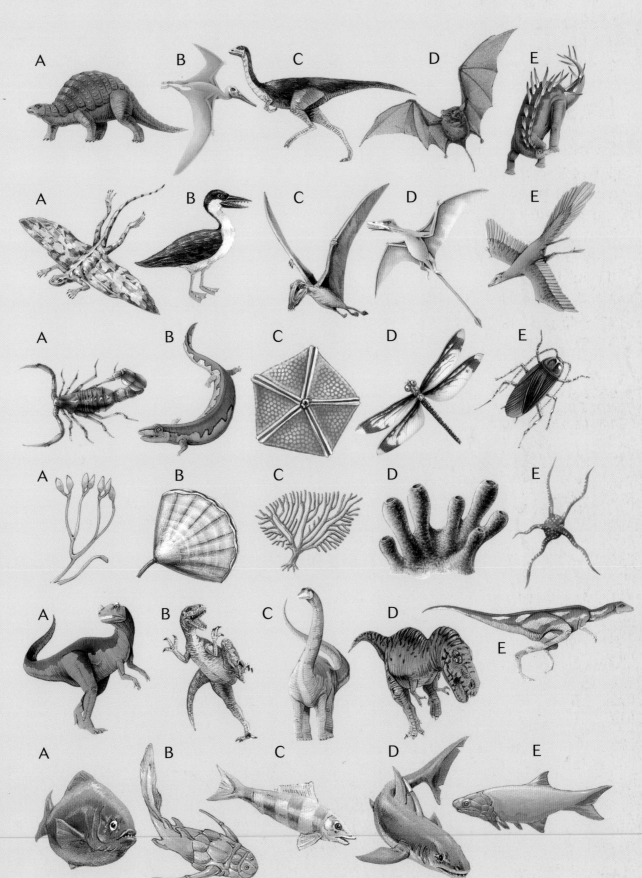

1. Un seul de ces animaux a la particularité d'être recouvert de plumes. Lequel ?

A   B   C   D   E

2. Saurais-tu dire lequel de ces animaux est l'ancêtre des oiseaux ?

A   B   C   D   E

3. Lequel parmi ces animaux pouvait en tuer d'autres en les piquant ?

A   B   C   D   E

4. Quatre de ces espèces sont des animaux, et une seule est un végétal. Laquelle ?

A   B   C   D   E

5. Lequel de ces dinosaures n'était pas un carnivore ?

A   B   C   D   E

6. Lequel de ces poissons utilisait ses nageoires articulées pour marcher sur le fond des lacs ?

A   B   C   D   E

Et aussi...

Les réponses à ces questions se trouvent page 172.

1. Lesquels parmi ceux-ci sont des animaux ?
   A Graptolithe.
   B Brachiopode.
   C Oursin.
   D Méduse.

2. Quand les premiers escargots sont-ils apparus sur la terre ferme ?
   A Au Silurien.
   B Au Carbonifère.
   C Au Permien.
   D Au Jurassique.

3. Lequel de ces dinosaures n'est pas herbivore ?
   A Camarasaurus.
   B Apatosaurus.
   C Ceratosaurus.
   D Diplodocus.

4. Lequel de ces dinosaures n'a pas de cornes ?
   A Styracosaurus.
   B Triceratops.
   C Pentaceratops.
   D Tyrannosaurus.

Réponses

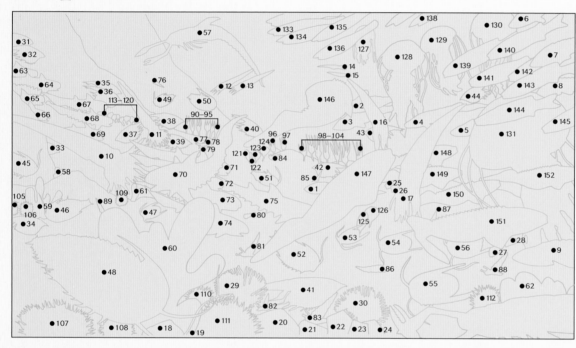

Mers peu profondes 132-133

Osteostraci, 1, 2, 3, 4, 5, 6, 7, 8, 9
Céphalopode, 10, 11, 12, 13, 14, 15, 16, 17
Étoile de mer, 18, 19, 20, 21, 22, 23, 24, 25, 26, 27, 28
Graptolithe, 29, 30
Crevette, 31, 32, 33, 34, 35, 36, 37, 38, 39, 40, 41, 42, 43, 44
Trilobite, 45, 46, 47, 48, 49, 50, 51, 52, 53, 54, 55, 56
Eurypterus, 57
Éponge, 58, 59, 60, 61, 62
Nostolepis, 63, 64, 65, 66, 67, 68, 69, 70, 71, 72, 73, 74, 75
Escargot de mer, 76, 77, 78, 79, 80, 81, 82, 83, 84, 85, 86, 87, 88, 89

Lis de mer, 90, 91, 92, 93, 94, 95, 96, 97, 98, 99, 100, 101, 102, 103, 104
Oursin, 105, 106, 107, 108, 109, 110, 111, 112
Brachiopode, 113, 114, 115, 116, 117, 118, 119, 120, 121, 122, 123, 124, 125, 126
Méduse, 127, 128, 129, 130, 131
Heterostraci, 132, 133, 134, 135, 136, 137, 138
Thelodont, 139, 140, 141, 142, 143, 144, 145
Anapside, 146, 147, 148, 149, 150, 151, 152

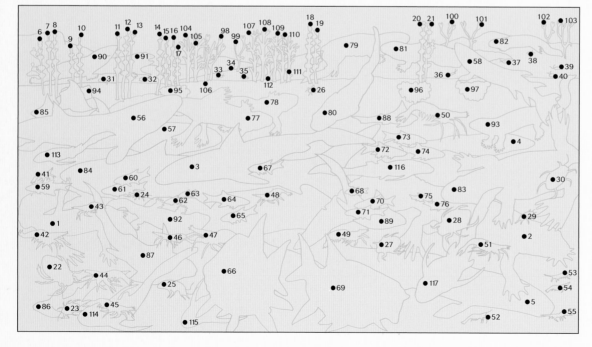

La vie sur terre 134-135

Ichthyostegopsis, 1, 2
Panderichthys, 3, 4, 5
Prêle (Equisetum), 6, 7, 8, 9, 10, 11, 12, 13, 14, 15, 16, 17, 18, 19, 20, 21
Coléoptère aquatique, 22, 23, 24, 25, 26, 27, 28, 29, 30
Cloporte, 31, 32, 33, 34, 35, 36, 37, 38, 39, 40
Crevette, 41, 42, 43, 44, 45, 46, 47, 48, 49, 50, 51, 52, 53, 54, 55
Eusthenopteron, 56, 57, 58
Mimia, 59, 60, 61, 62, 63, 64, 65, 66, 67, 68, 69, 70, 71, 72, 73, 74, 75, 76
Acanthostega, 77, 78, 79, 80, 81, 82, 83

Ctenacanthus, 84
Groenlandaspis, 85, 86, 87, 88, 89
Ichthyostega, 90, 91, 92, 93
Ichthyostega, œufs, 94, 95, 96, 97
Aglaophyton, 98, 99, 100, 101, 102, 103
Lycopode, 104, 105, 106, 107, 108, 109, 110, 111, 112
Bothriolepis, 113, 114, 115, 116, 117

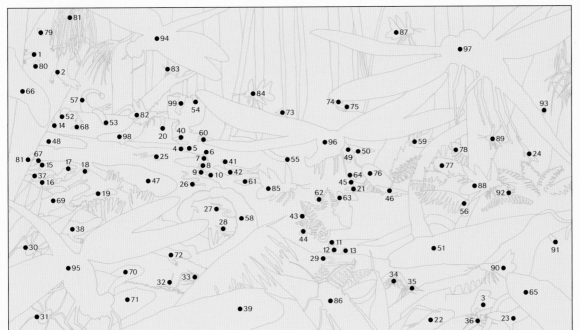

Les insectes géants 136-137

Archaeothyris, 1, 2, 3
Escargot, 4, 5, 6, 7, 8, 9, 10 11, 12, 13
Microsaure, 14, 15, 16, 17, 18, 19, 20, 21, 22, 23, 24
Ophiderpeton, 25, 26, 27, 28, 29
Araignée, 30, 31, 32, 33, 34, 35, 36
Westlothiana, 37, 38, 39, 40, 41, 42, 43, 44, 45, 46
Gerrothorax, 47
Eogyrinus, 48, 49, 50, 51
Mille-pattes géant, 52, 53, 54, 55, 56
Scorpion géant, 57, 58, 59
Gephyrostegus, 60, 61, 62, 63, 64, 65
Hylonomus, 66, 67, 68, 69, 70, 71, 72
Arthropleura, 73, 74, 75, 76, 77, 78

Blatte, 79, 80, 81, 82, 83, 84, 85, 86, 87, 88, 89, 90, 91, 92, 93
Meganeura, 94, 95, 96, 97
Pholidogaster, 98, 99

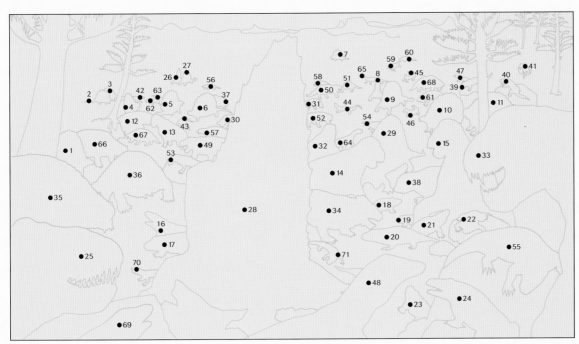

Paysage rocheux 138-139

Edaphosaurus 1, 2, 3, 4, 5, 6, 7, 8, 9, 10, 11
Moschops, 12, 13, 14, 15
Cacops, 16, 17, 18, 19, 20, 21, 22, 23, 24
Dimetrodon, 25, 26, 27, 28, 29
Eryops, 30, 31
Anteosaurus, 32, 33
Bradysaurus, 34
Scutosaurus, 35, 36, 37
Casea, 38, 39, 40, 41
Diadectes, 42, 43, 44, 45, 46, 47, 48
Sauroctonus, 49, 50, 51, 52
Seymouria, 53, 54, 55
Sphenacodon, 56, 57, 58, 59, 60, 61
Protorosaurus, 62, 63, 64, 65

Pareiasaurus, 66, 67, 68
Yougina, 69, 70, 71

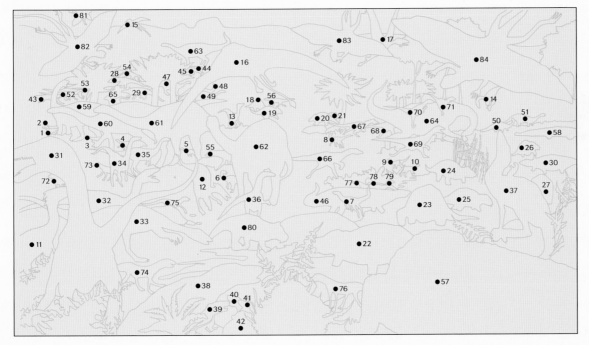

Les premiers dinosaures 140-141

Saltopus, 1, 2, 3, 4, 5, 6, 7, 8, 9, 10
Syntarsus, 11, 12, 13, 14
Peteinosaurus, 15, 16, 17
Placerias, 18, 19, 20, 21, 22, 23, 24, 25, 26, 27
Desmatosuchus, 28, 29, 30
Coelophysis, 31, 32, 33, 34, 35, 36, 37
Thrinaxodon, 38, 39, 40, 41, 42
Stagonolepis, 43, 44, 45, 46
Anchisaurus, 47, 48, 49, 50, 51
Ticinosuchus, 52, 53, 54, 55, 56
Rutiodon, 57, 58
Plateosaurus, 59, 60, 61, 62, 63, 64
Staurikosaurus, 65, 66, 67, 68, 69, 70, 71

Terrestrisuchus, 72, 73, 74, 75, 76, 77, 78, 79
Cynognathus, 80

157

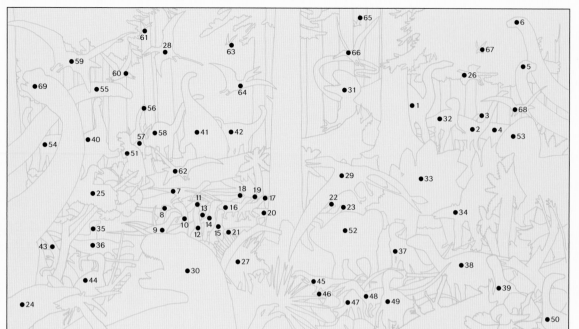

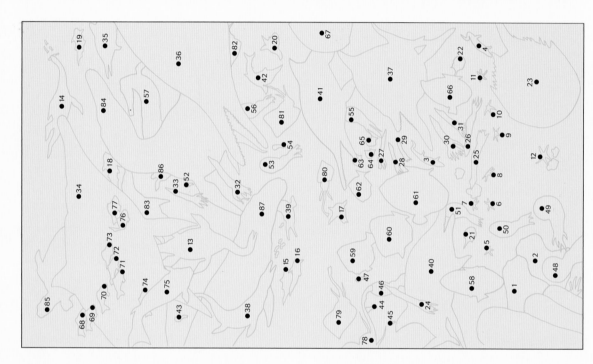

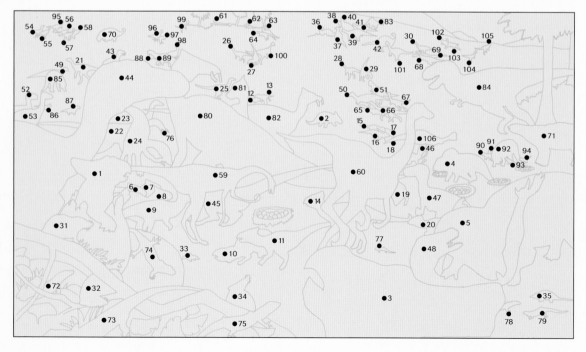

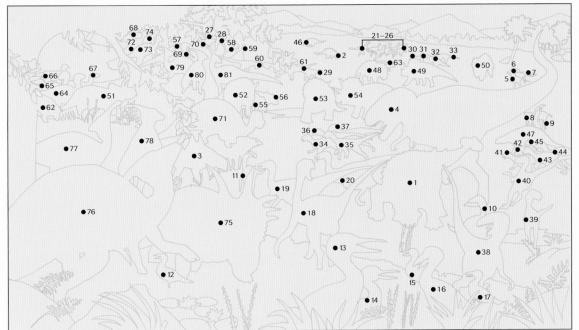

Les derniers dinosaures 148-149

Euoplocephalus, 1, 2, 3
Tyrannosaurus, 4
Stenonychosaurus, 5, 6, 7, 8, 9, 10, 11
Ichtyornis, 12, 13, 14, 15, 16, 17
Struthiomimus, 18, 19, 20, 21, 22, 23, 24, 25, 26
Stegoceras, 27, 28, 29, 30, 31, 32, 33
Dromaeosaurus, 34, 35, 36, 37, 38, 39, 40, 41, 42, 43, 44, 45
Nodosaurus, 46, 47
Pentaceratops, 48, 49, 50
Triceratops, 51, 52, 53, 54, 55, 56
Pachycephalosaurus, 57, 58, 59, 60, 61
Panoplosaurus, 62, 63

Edmontosaurus, 64, 65, 66, 67, 68, 69, 70, 71
Corythosaurus, 72, 73, 74
Styracosaurus, 75
Parasaurolophus, 76, 77, 78, 79, 80, 81

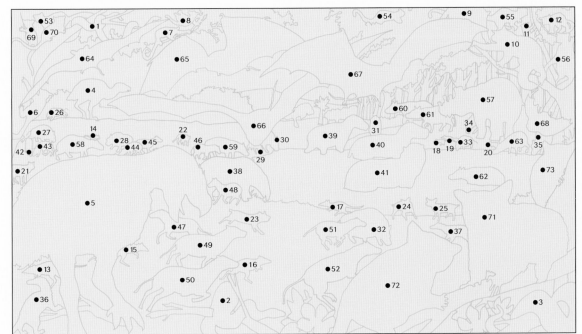

Mammifères des bois 150-151

Serpent, 1, 2, 3
Diatryma, 4, 5
Notharctus, 6, 7, 8, 9, 10, 11, 12
Leptictidium, 13, 14, 15, 16, 17, 18, 19, 20
Oxyaena, 21, 22
Mesonyx, 23, 24, 25
Archaeotherium, 26, 27, 28, 29, 30, 31, 32, 33, 34, 35
Eomanis, 36, 37
Moeritherium, 38
Coryphodon, 39, 40, 41
Hyracotherium, 42, 43, 44, 45, 46, 47, 48, 49, 50, 51, 52
Smilodectes, 53, 54, 55, 56
Uintatherium, 57
Hyrachus, 58, 59, 60, 61, 62, 63
Chauve-souris, 64, 65, 66, 67, 68
Tetonis, 69, 70, 71, 72, 73

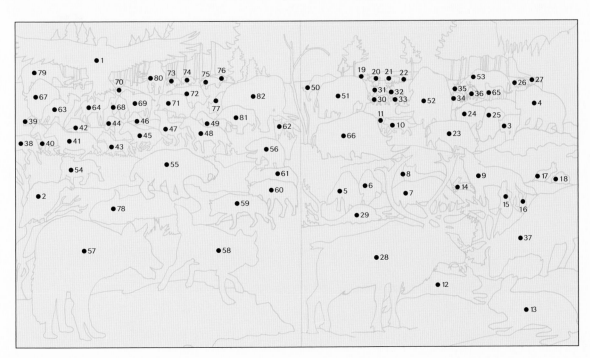

Les glaciations 152-153

Teratornis, 1, 2
Ours des cavernes, 3, 4
Loup gris, 5, 6, 7, 8, 9, 10, 11
Lièvre arctique, 12, 13, 14, 15, 16, 17, 18
Bison primitif, 19, 20, 21, 22, 23, 24, 25, 26, 27
Renne, 28, 29, 30, 31, 32, 33, 34, 35, 36, 37
Cheval de l'ouest, 38, 39, 40, 41, 42, 43, 44, 45, 46, 47, 48, 49
Mammouth laineux, 50, 51, 52, 53
Félin à dents de sabre (Smilodon), 54, 55
Paresseux terrestre, 56
Loup dire, 57, 58, 59, 60, 61, 62
Chameau, 63, 64

Lion des cavernes, 65
Rhinocéros laineux, 66
Bison à longues cornes, 67, 68, 69, 70, 71, 72, 73, 74, 75, 76, 77, 78
Mammouth colombien, 79, 80, 81, 82

Test de mémoire

De quoi te souviens-tu à propos de Dinosaures ? Essaie de répondre
à ces questions pour le savoir. Tu trouveras les réponses page 172.

Mers peu profondes

1. Qu'avait de particulier l'Osteostraci ?
   - A Il nageait à reculons.
   - B Des plaques osseuses recouvraient sa tête.
   - C Il avait des pattes.
   - D Il pouvait voler.

2. Qu'étaient les lis des mers ?
   - A Des plantes.
   - B Des roches.
   - C Des animaux.
   - D Des sirènes.

La vie sur terre

3. Lequel parmi ceux-ci est une plante ?
   - A Eusthenopteron.
   - B Acanthostega.
   - C Aglaophyton.
   - D Groenlandaspis.

4. À quoi servaient les nageoires de Bothriolepis ?
   - A À frapper d'autres animaux.
   - B À se défendre.
   - C À faire des châteaux de sable.
   - D À marcher au fond des lacs.

Les insectes géants

5. Que signifie le mot Hylonomus ?
   - A Souris des forêts.
   - B Tigre fou.
   - C Lézard tonnerre.
   - D Agile grimpeur.

6. Quelle était l'envergure de Meganeura ?
   - A La longueur d'un court de tennis.
   - B La longueur d'un bras humain.
   - C La longueur de trois cents bananes mises
   bout à bout.
   - D La longueur d'un cou de girafe.

7. Où le microsaure pondait-il ses œufs ?
   - A Dans un trou du sol.
   - B Sur une branche d'arbre.
   - C Dans l'eau.
   - D Dans un panier accroché au ciel.

Paysage rocheux

8. Qu'avaient de frappant certains animaux du Permien ?
   - A Ils possédaient deux têtes.
   - B Ils pouvaient changer la couleur de leur peau.
   - C Ils pouvaient sauter sur de longues distances.
   - D Ils avaient de grandes membranes de peau su
   le dos.

9. Où Seymouria passait-il le plus clair de son temps
   - A Dans l'eau.
   - B Sur la terre ferme.
   - C Dans les arbres.
   - D Au lit, avec une tasse de chocolat chaud.

10. À quoi servaient les dents pointues d'Yougina ?
    - A À faire de grands sourires.
    - B À casser la coquille des escargots.
    - C À gratter des messages sur les rochers.
    - D À s'accrocher aux arbres.

Les premiers dinosaures

11. Où étaient les pointes de Desmatosuchus ?
    - A Sur ses pattes.
    - B Sur ses oreilles.
    - C Sur ses épaules.
    - D Sur son ventre.

12. Où se trouvaient les naseaux de Rutiodon ?
    - A Au bout de son nez.
    - B Entre ses yeux.
    - C Sur son arrière-train.
    - D Sur sa queue.

Dans la forêt

13. Quelle était la longueur de Diplodocus ?
    - A Un autobus.
    - B Trois autobus garés à la file.
    - C Sept autobus garés à la file.
    - D Un crayon.

14. De quelle taille était Compsognathus ?
    - A D'un chat.
    - B D'un rat.
    - C D'une vache.
    - D D'un terrain de foot.

Dans l'océan

15. Comment Plesiosaurus se déplaçait-il dans l'eau ?
    A Il battait doucement des nageoires.
    B Il s'accrochait à un autre animal avec ses ventouses.
    C Il agitait sa longue queue.
    D Il marchait sur le fond marin sur ses vingt pattes.

16. Pourquoi Pleurosternon nageait-il en surface ?
    A Pour voir si la terre était proche.
    B Pour échapper aux prédateurs des grands fonds.
    C Pour admirer le paysage.
    D Pour respirer.

17. Si le requin arrêtait de nager, que lui arrivait-il ?
    A Il explosait.
    B Il coulait au fond de l'océan.
    C Il devenait jaune vif.
    D Il flottait à la surface de l'eau.

Le désert aride

18. Quelle était l'arme secrète de Pinacosaurus ?
    A Il pouvait cracher du feu.
    B Sa morsure était venimeuse.
    C Il avait une lourde masse au bout de la queue.
    D Il terrifiait ses ennemis avec son regard perçant.

19. Qu'avait de particulier Psittacosaurus ?
    A Il possédait cinq pattes.
    B Il avait un bec semblable à celui d'un perroquet.
    C Il rapetissait en vieillissant.
    D Il chantait si bien que ses ennemis s'évanouissaient.

20. Que signifie Velociraptor ?
    A Copain sympa.
    B Griffes mortelles.
    C Monstre de feu.
    D Tueur véloce.

Les derniers dinosaures

21. À quoi servait la crête tubulaire de Parasaurolophus ?
    A À boire de l'eau.
    B À creuser des trous.
    C À attaquer ses ennemis.
    D À faire des bruits de trompette.

22. Stegoceras appartenait à quel groupe de dinosaures ?
    A Ceux à crâne épais.
    B Ceux à crâne lourd.
    C Ceux qui crânent.
    D Ceux qui crachent.

Mammifères des bois

23. Quel genre d'animal était Hyracotherium ?
    A Un ancêtre du blaireau.
    B Un parent primitif du cheval.
    C Un des premiers oiseaux.
    D Un ancêtre de la belette.

24. À quoi servait la longue queue de Smilodectes ?
    A Il étranglait ses ennemis avec.
    B Il s'en servait pour voler, comme un hélicoptère.
    C Il chatouillait ses copains avec.
    D À s'équilibrer quand il grimpait aux arbres.

25. Que mangent les omnivores ?
    A Des plantes et des animaux.
    B Uniquement des plantes.
    C Uniquement des animaux.
    D Des hommes.

26. Diatryma était un……. géant. Quoi ?
    A Chat.
    B Rat.
    C Chauve-souris.
    D Oiseau.

Les glaciations

27. Qu'est-ce qui manquait au lion préhistorique et qu'a le lion actuel ?
    A Une crinière.
    B Des griffes.
    C Des dents.
    D Des oreilles.

28. Quand a disparu le cheval de l'ouest ?
    A Il y a 1 000 ans.
    B Il y a 10 000 ans.
    C Il y a 100 000 ans.
    D Il y a trois semaines.

29. Pourquoi le lièvre arctique avait-il une fourrure blanche ?
    A Pour que les loups ne le voient pas sur la neige.
    B Parce que la fourrure blanche est plus chaude que les autres.
    C Parce qu'elle est très jolie.
    D Pour ressembler à un nuage.

La disparition des dinosaures

30. Selon les scientifiques, pourquoi les dinosaures ont-ils disparu ?
    A Ils sont tous tombés d'une falaise.
    B Il faisait bien trop chaud pour eux.
    C Une météorite a frappé la Terre.
    D Ils ont été chassés par un féroce lapin géant.

Vrai ou faux ?

Parmi ces affirmations, certaines sont vraies, d'autres fausses. Essaie de répondre avant de regarder dans cette dernière partie du livre. Tu trouveras les réponses page 172.

1. Cette ophiure existe toujours dans les océans actuels.

2. Parasaurolophus se servait de sa crête tubulaire pour se gratter le dos.

3. Ce requin coulait au fond de l'océan s'il arrêtait de nager.

4. Ces prêles existent encore de nos jours.

5. Peteinosaurus était l'un des premiers oiseaux.

6. Le Mimia n'était pas plus grand que ton pouce.

7. Le mot Hylonomus signifie « lézard des forêts ».

8. Eryops était un lointain parent des grenouilles modernes.

9. Nodosaurus signifie « reptile à nodules ».

10. Euoplocephalus se servait de la masse au bout de sa queue pour ne pas tomber.

11. Lorsque les dinosaures disparurent, des mammifères tels que Tetonis prirent leur place.

12. Moschops était aussi gros qu'un autobus.

Index

A

B

Réponses aux questions

Réponses aux questions de la page 46 :

1. C 2. F 3. A 4. F 5. B 6. D

Réponses aux questions de la page 47 :

1. A 2. D 3. C 4. D 5. C 6. B

7. A 8. C 9. B 10. D 11. C 12. A

Réponses aux questions de la page 48 :

13. B 14. D 15. C 16. D 17. D 18. C 19. C

20. D 21. A 22. D 23. C 24. A 25. B 26. D

Réponses aux questions de la page 89 :

1. La Sibérie
2. L'Afrique orientale
3. 8 h (en Thaïlande)
4. À l'aéroport
5. Trois (l'Antarctique, les Alpes, la Sibérie)
6. Cinq (le Moyen-Orient, Trinidad, le Maroc, l'Afrique orientale, la Grèce)
7. 18 bateaux ; 20 avions ; 8 trains ; 22 cars
8. D
9. F
10. C
11. F

Réponses aux questions de la page 96 :

1. B 2. D 3. A 4. B 5. C 6. C

7. B 8. A 9. C 10. B 11. C 12. B

Réponses aux questions de la page 128 :

1. B   2. D   3. A   4. D   5. D   6. B

7. D   8. A   9. B   10. C   11. D   12. A

Réponses aux questions de la page 155 :

1. C   2. E   3. A   4. A   5. C   6. B

Réponses aux questions de la page 156 :

1. Tous   2. B   3. C   4. D

Réponses aux questions de la page 160 :

1. B   2. C   3. C   4. D   5. A

6. B   7. C   8. D   9. A   10. B

11. C   12. B   13. B   14. A

Réponses aux questions de la page 161 :

15. A   16. D   17. B.   18. C   19. B

20. D   21. D   22. A   23. B   24. D

25. A   26. D   27. A   28. B   29. A   30. C

Réponses aux questions de la page 162 :

1. Vrai   2. Faux   3. Vrai   4. Vrai

5. Faux   6. Vrai   7. Faux   8. Vrai

9. Vrai   10. Faux   11. Vrai   12. Faux

Remerciements

Les éditions Usborne remercient les personnes et organismes
suivants de leur aide à la préparation de ce livre :

Rachael Swann ; Mike Olley ; John Russell ; le professeur David Duthie ;
Natalie Abi-Ezzi ; Rebecca Mills ; Katarina Dragoslavić ;

Mr Fred Redding, archiviste, Selfridges, Londres ;
The Archive Departments at Harrods Ltd ; John Lewis Partnership ;
Roz Quade, BAA London Gatwick, Angleterre ; Australian Tourist Commission,
Londres, Angleterre ; Shelagh Weir, curatrice du Middle East, Museum of Mankind
(British Museum), Londres, Angleterre ; Ms Mitsuko Ohno ; Blue Lagoon Ltd,
Grindavik, Islande ; Sheila Anderson ; Bureau du Haut Commissaire de Trinidad,
Londres, Angleterre ; David Hearns, Ski Club of Great Britain, Londres, Angleterre ;
Frances Wood, curatrice des Collections Chinoises, British Library, Londres,
Angleterre ; The Best of Morocco ; Survival, 6 Charterhouse Buildings, Londres EC1N 7ET,
Angleterre ; Andrew Stoddart, The Hellenic Bookservice, 91 Fortress Road, Londres NW5 1AG,
Angleterre ; A.K. Singh, Indian Tourist Board, Londres, Angleterre ; le professeur Alan Wood,
université de Lancaster, Angleterre ; Tim Stocker, P& O Cruises, 77 New Oxford Street,
Londres WC1A 1PP, Angleterre.

Rédaction : Felicity Brooks, Jane Chisholm
et Philippa Wingate

Directrice artistique : Mary Cartwright

Conseillers : les professeurs Anne Millard, Abigail Wheatley
et David Norman

Assistante de maquette : Stephanie Jones

Maquette de la couverture : Francesca Allen

Assistants de rédaction : Claire Masset et Ben Denne

© 2005 Usborne Publishing Ltd., Usborne House,
83-85 Saffron Hill, Londres EC1N 8RT, Grande-Bretagne.
© 2007 Usborne Publishing Ltd. pour le texte français.

Le nom Usborne et les marques 🌐🏆 sont des marques
déposées d'Usborne Publishing Ltd. Tous droits réservés.
Aucune partie de cet ouvrage ne peut être reproduite,
stockée en mémoire d'ordinateur ou transmise sous
quelque forme ou moyen que ce soit, électronique,
mécanique, photocopieur, enregistreur ou autre
sans l'accord préalable de l'éditeur.

Imprimé en Chine.